税法学習は、税理士への真の第一歩！

　本書を手にしたみなさんの多くは、税理士試験の会計科目(簿記論、財務諸表論)の受験をされた方や無事合格された方だと思います。よくぞ、ここまで来られました！

　そして、いよいよ税法科目の学習をはじめようとされる方にあらためて伝えておきたいことがあります。それは、税理士とは「税法のプロフェッショナルであり、法律家である」ということです。

　ですから、税法の学習は税理士への真の第一歩を踏み出したことになります。

　ここからまた気を引き締めていけば、税理士試験の合格も間近です。

　さて、ネットスクールでは税理士試験を目指す方への資格支援の学校として、画期的なことを行いました。それは、本来、高額な受講料を払ってのみ手にすることのできる講座使用教材を書店やネットショップで市販することでした。

　これにより、独学者にも平等に合格を目指す機会を提供することができましたし、また、独学者が同じ教材を使用して講座学習に切り替えられるという利便性を高めることができました。

　一方で、講座使用教材を誰もが購入できるということは、講座の付加価値の希薄化を招き、さらには講座のノウハウの流出というリスクも抱えてしまうことになりかねません。

　しかしそれでも、人生を賭けてチャレンジする受験生にとってよりよい教材は生命線であり、その気持ちを想像したときに、講座使用教材を市販することについて一縷の迷いも生じることはありませんでした。さらに言えば、基本問題から応用問題まで網羅することにより段階を追って学習できる問題集に仕上げることに注力しました。

　合格するための状況は我々が整えます。

　みなさんは、この本で勇気を持って始め、本気で学んでください。

　そうすれば、みなさん自身ばかりではなく、みなさんの周りの人たちをも幸せにできる、そんな人生が開けてきます。

　さあ、この一歩、いま踏み出しましょう！

税理士WEB講座
講師一同

JN102310

目次
Contents

税理士試験　問題集
消費税法Ⅱ　基礎完成編

合格に必要な知識を効果的に習得するために

本書の構成・特長

本試験対策に必要な問題を基本レベルから解くことができます。

解答時間の目安を示しています。試験ではスピードも合格に必要な要素です。

教科書の学習内容に応じた問題番号を記載しています。

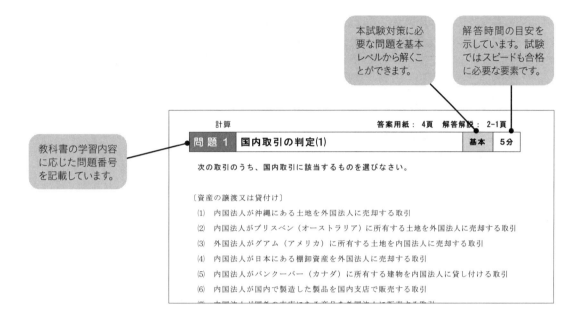

計算	答案用紙：4頁　解答解説：2-1頁

問 題 1　国内取引の判定(1)　　　　　　　　　　　　　基本　5分

次の取引のうち、国内取引に該当するものを選びなさい。

〔資産の譲渡又は貸付け〕

⑴　内国法人が沖縄にある土地を外国法人に売却する取引
⑵　内国法人がブリスベン（オーストラリア）に所有する土地を外国法人に売却する取引
⑶　外国法人がグアム（アメリカ）に所有する土地を内国法人に売却する取引
⑷　内国法人が日本にある棚卸資産を外国法人に売却する取引
⑸　内国法人がバンクーバー（カナダ）に所有する建物を内国法人に貸し付ける取引
⑹　内国法人が国内で製造した製品を国内支店で販売する取引

答案用紙については、ネットスクールホームページにてダウンロードサービスを行っております。

著者からのメッセージ

　本書の著者であり、WEB講座の講師でもある山本和史先生から、本書を学習する前の心構えとしてメッセージがございます。本書を最大限に有効活用するためにも、まずはこのメッセージをお読みください。

プロフィール
講師　山本和史
<small>やまもとかずふみ</small>
講師歴38年。わかりやすい講義をモットーとし、長年の講師歴の中で培った受験生の陥りやすい誤りを未然に防ぐ授業を展開し受験生を合格へと導く。

◆学習アドバイス

　この「基礎完成編」から本格的に税理士試験対策に入っていきます。頑張っていきましょう。

　本書は「基礎導入編」で触れた内容を網羅した上で税理士試験対策に必要な内容を掲載していますので、「基礎導入編」で学習した内容も復習できるようになっています。

　本書では、各問題に「理論」、「計算」と見出しを付しています。「理論」が付されている問題では、用語の空欄記入の問題でキーワードをチェックし、過去の既出問題で事例理論の解答練習を行ってください。「計算」が付されている問題では、別冊の「教科書」で学習した内容の解答練習を行い理解度を深めてください。

　では、具体的に学習方法について説明していきたいと思います。この基礎完成編の教材は消費税法の理論対策と計算対策を行っていきますが定期的に週4日程度学習する日を設けて学習してください。

　週4日のうち2日は新しい単元を学習する日、残り2日は今まで学習した内容を復習する日とします。

　新しい単元を学習する日は1時間程度「教科書」で新しい単元を学習し、その後1時間程度「問題集」を解答し知識の定着を図ってください。また、復習する日は、1日を理論対策、残り1日を計算対策としてください。理論対策の日は、「教科書」と「理論集」を使用し各理論の内容を理解した上で暗記を行うようにしてください。また、計算対策の日は、基礎導入編と同じくその週に新しく学習した単元の「問題集」を再度解答し学習した内容が自分のものになっているかどうか確認するようにしてください。

　税法科目特有の「理論暗記」が始まっていきますが、上記にも書きましたが理論の内容を理解していけば内容を覚えやすくなりますし、忘れにくくなります。殆どの受験生が苦手とするものですが早目早目に暗記していきましょう。

"講師がちゃんと教える" だから学びやすい！分かりやすい！
ネットスクールの税理士WEB講座

【開講科目】簿記論、財務諸表論、法人税法、消費税法、相続税法、国税徴収法

ネットスクールの税理士WEB講座の特長

◆自宅で学べる！ オンライン受講システム

臨場感のある講義をご自宅で受講できます。しかも、生配信の際には、チャットやアンケート機能を使った講師とのコミュニケーションをとりながらの授業となります。もちろん、講義は受講期間内であればお好きな時に何度でも講義を見直すことも可能です。

▲講義画面イメージ▲

★講義はダウンロード可能です★

オンデマンド配信されている講義は、お使いのスマートフォン・タブレット端末にダウンロードして受講することができます。事前にWi-Fi環境のある場所でダウンロードしておけば、通信料や通信速度を気にせず、外出先のスキマ時間の学習も可能です。
※講義をダウンロードできるのはスマートフォン・タブレット端末のみです。
※一度ダウンロードした講義の保存期間は1か月間ですが、受講期間内であれば、再度ダウンロードして頂くことは可能です。

ネットスクール税理士WEB講座の満足度

◆受講生からも高い評価をいただいております

WEB講座 79.5%

▶ Zoom面談は、孤独な自宅学習の励みになりましたし、試験直前にお電話をいただいたときは本当に感動しました。（消費／上級コース）
▶ 合格できた要因は、質問を24時間受け付けている「学び舎」を積極的に利用したことだと思います。（簿財／上級コース）
▶ 質問事項や添削のレスポンスも早く対応して下さり、大変感謝しております。（相続／上級コース）
▶ 講義が1コマ30分程度と短かったので、空き時間等を利用して自分のペースで効率よく学習を進めることができました。（国徴／標準コース）

教材 82.3%

▶ 理論教材のミニテストと「つながる会計理論」のおかげで、今まで理解が難しかった論点が頭の中でつながった瞬間は感動しました。（財表／標準コース）
▶ テキストが読みやすく、側注による補足説明があって理解しやすかったです。（全科目共通）

講師 78.2%

▶ 財務諸表論の穂坂先生の理論講義がとてもわかり易く良かったです。（簿財／上級コース）
▶ 先生方の学習面はもちろん精神的にもきめ細かいサポートのおかげで試験を乗り越えることができました。（法人／上級コース）
▶ 堀川先生の授業はとても面白いです。印象に残るお話をからめて授業を進めて下さるので、記憶に残りやすいです。（国徴／標準コース）
▶ 田中先生の熱意に引っ張られて、ここまで努力できました。（法人／標準コース）

※2019〜2023年度試験向け税理士WEB講座受講生アンケート結果より

各項目について5段階評価
不満 ← | 1 | 2 | 3 | 4 | 5 | → 満足

税理士試験合格に向けた学習

教科書・問題集　Ⅰ基礎導入編

　基礎導入編は"教科書（テキスト）"と"問題集"の内容を１冊にまとめた構成となっており、『教科書編』ではインプットを、『問題集編』ではアウトプットを繰り返すことにより、効率的に学習を進めることができます。何事も最初が肝心となりますので、まずは本書で消費税法学習の土台を作りあげていきましょう。

教科書／問題集　Ⅱ基礎完成編

　基礎導入編での学習が終わったら、基礎完成編に移ります。基礎導入編と同様に、税理士試験で頻繁に出題される重要論点の基礎的事項を学習していきます。

　基礎完成編も基礎導入編と同様に、教科書でインプットしたことを必ず問題集（教科書と別売りとなります）を使ってアウトプットし、学習した知識を定着させましょう。

理論集

　理論学習に特化したテキストで、効果的で無駄のない理論学習を行えます。

　また、重要理論については音声＆デジタル版のWダウンロードサービスを付帯し、移動中や外出先でも理論学習を行えるようにしております（別途有料サービス）ので、あわせてご利用ください。

教科書／問題集　Ⅲ応用編

　基礎完成編での学習が終わったら、応用編の学習に移ります。試験対策として重要となる応用的な内容及び特殊論点を学習していくことになりますが、基礎導入編及び基礎完成編で学習した内容を基に学習を進めていただければ、無理なく学習を進めることができますので、復習する際は、基礎導入編及び基礎完成編も併せて復習するようにしましょう。

全経　税法能力検定試験　公式テキスト（3級／2級・1級）

公益社団法人　全国経理教育協会（全経協会）では、経理担当者として身に付けておきたい法人税法・消費税法・相続税法・所得税法の実務能力を測る検定試験が実施されています。試験を受けることで、実務のスキルアップを図れるだけでなく、税理士試験の基礎学力の確認としても有効に活用することができます。税理士試験の学習と並行して、全経　税法能力検定試験の学習を進めることをお勧めします。

※検定試験の詳細は、全経協会公式ホームページをご確認ください。
https://www.zenkei.or.jp/

ラストスパート模試

　教科書（テキスト）での学習が一通り終わったら、本試験形式で構成された模擬試験問題を解きましょう。本シリーズでは、ネットスクールの税理士講師の先生が作成した模擬問題を3回分収載しています。

　試験問題を本体から取り外し、YouTube で配信している「試験タイマー」を流しながら解くことで、試験本番の臨場感の中で解くことができます。学習してきた力を試験本番で十分に発揮できるよう訓練をしましょう。

 試験合格！

ネットスクール公式 YouTube チャンネル

試験勉強や合格後の実務に役立つ動画も随時配信中！

☑ 出題予想や本試験の講評・解説

☑ 最新の実務の動向を解説する「ネットスクール学びちゃんねる」

☑ 試験会場の雰囲気を味わえる試験タイマーなど

アカウントをお持ちの方はぜひチャンネル登録のうえ、ご覧ください。

※掲載している書影は、すべて 2024 年 8 月現在の最新版、教科書／問題集シリーズは 2024 年度版のものとなります。
※書籍のお求めは全国の書店・インターネット書店、またはネットスクール WEB-SHOP をご利用ください。

ネットスクールWEB講座 合格者の声

ネットスクールで見事！合格を勝ち取った受講生様からのお言葉を紹介いたします。

イトウ　ハルカ様（20代女性／学生）　第72回試験／消費税法合格

　私は他の予備校と併用する形で受講させていただいたのですが、画面を通しての講義でも質問などに親身に対応してくれてとても勉強しやすかったです。また、常に前向きな言葉をかけてくださる所にもとても勇気をもらいました。

　勉強方法については、学生で本業の学業も手を抜くことができないため、試験勉強は、毎日何時から何をするかの計画を立てて勉強しました。また、直前期は毎日総合問題を解き、問題解答のフォームやルーティーンを定着させるようにしました。直前期は複数の予備校の直前対策問題を解くようにしましたが、ネットスクールの教材は、特に予想問題が主要論点を抑えつつ初見の問題もあったため何度も活用させていただきました。

　YouTube の解答速報を拝見し、丁寧な解説と勇気をもらえるような言葉を伝えてくれるネットスクールに興味を持ち、複数の科目を受講しましたが、丁寧な解説、教材、出題予想で本当に助かりました。受講してよかったです。

Y・K様（30代男性／一般会社勤務）　第72回試験／相続税法合格

　相続税法の受験は3回目となりますが過去2回不合格となった際には、計算・理論共に基本論点で解答できておりませんでした。そのため、基本論点を見直し、ネットスクールの参考書や問題集を何度も回転させて記憶の定着を図りました。

　また、単なる暗記ではなく理解力も伸ばさなければ本番の試験には対応できないので、制度の概要やなぜその制度が創設されたのかといった背景を理解することも重視しておりました。ネットスクールでは講義が分かりやすく、何度も気になったところは再生できるので納得いかないところは何度も視聴して理解することを心がけておりました。

　最後になりますが、試験直前になるとSNS等で他校の生徒が高得点を取った情報や理論予想などの投稿を目にすることがありますが、そのような情報に惑わされずにまずはネットスクールのカリキュラムをしっかりと消化してその中での問題は確実に解けるようにすることが非常に重要だと思いました。実際に相続税法の理論では、ネットスクールで出題されたところを完璧に理解しておりましたので、他校の理論の出題ランクは低い論点でしたがしっかりと点数を取ることが出来ました。

　これからは法人税法・消費税法の合格を目指して引き続きネットスクールにお世話になろうと考えております。引き続きどうぞよろしくお願いいたします。

M・S様（50代男性／一般会社勤務）第71回試験／国税徴収法・官報合格

以前は独学で市販の理論集や問題集を購入して勉強していましたが、配当額の計算でどうしてこのような計算結果となるのか、いまひとつ理解できないところもあり、本試験でも配当額を間違えて計算してしまったことから、その年度は残念ながら不合格となりました。

その後、国税徴収法のテキストを探していたところ、ネットスクールの通信講座を知り、もう一度勉強しなおそうと思い立ち、受講を決めました。

実際に講義を受けてみると、これまで理解が不完全だった「なぜこうなるのか」がすっきりと理解でき、まさに目からウロコが落ちる、という体験でした。

理論は、試験に直結する重要度が高いものに加え、「これは覚えておくべき」と自分が判断したものを全部暗記し、2〜3日間で一回転するやり方で精度の向上に努めました。ただ単に暗記するだけではなく、横のつながりを意識することが大切だと思いましたので、どことつながっているのかもいっしょに覚えるようにしました。

答練は、通信講座のなかの問題と過去問で練習を繰り返しました。「ラストスパート模試」は過去8年分と模擬試験4回分が収録されていましたので、これだけでも練習量としては充分だったと思います。答案の書き方自体もあまりよく知らず、以前は隙間なくビッシリと書いていましたので、適度にスペースを空ける書き方を教えてもらったことも受講してよかった、と思いました。

おかげさまで国税徴収法に合格することができました。ありがとうございました。

S・K様（40代男性）第72回試験／法人税法・官報合格 ✿

この度、ようやく官報合格となりました。これまでにお世話になった先生方、本当に本当にありがとうございました。私は他校の受講経験がなく比較することはできませんが、一番ありがたかったのは「学び舎」です。理解力不足や勘違いで何度もくだらない質問をしましたが、すぐに丁寧に詳しく解説を頂けたことが合格に結び付いたと確信しています。

受験勉強で私が一番苦労したのは、何と言っても勉強時間の確保です。仕事との両立はやはり厳しく、平日夜はほぼ時間がとれないため、毎朝3時に起床し朝に勉強するというスタイルで、1日約3〜4時間は勉強に充てていました。主な1日のスケジュールは、朝は計算メインの勉強、通勤時間は車の中で、自分が吹き込んだオリジナル理論音声を聞きながらブツブツ念仏を唱え、昼休みは理論集の暗記、ベッドに入って寝るまでの時間も理論集の暗記といった内容でした。

私の理論暗記法は、短期間で繰り返し理論集を何回転もさせるやり方です。最初は重要語句を暗記ペンでマーカーし、覚えたら次の理論という感じでどんどん進めていき、少しずつ暗記ペンでマーカーした部分を増やしていきます。30〜40回転目になると、ほとんどマーカーした状態になり、その頃からは、理論集を見ずに暗唱し、つまれば理論集を見て確認するというやり方に徐々にシフトしていきます。この方法は職場の先輩から教えてもらったもので、前回受験した国税徴収法と今回受験した法人税法はこの方法でほぼ全部暗記しました。直前期は数日で1回転できるようになり、最終的には60回転くらいさせたと思います。理論暗記に悩んでいる人にはお勧めです。

税理士試験はかなり長い年数を勉強に費やすことになり、それに比例して犠牲にしなければならないことも多いと思います。私も何度も諦めそうになりました。しかし、なんとか踏みとどまり、ネットスクールを信じて諦めずに継続したことで、5科目合格することができました。

税理士試験とは
試験概要

【試験科目】

　税理士試験は、会計科目2科目・税法科目9科目の全11科目あります。このうち、会計科目2科目と税法科目3科目(選択必須科目1科目以上を含む)の合計5科目に合格する必要があります。1度の受験で5科目全てに合格する必要はなく、1科目ずつ受験することもできます。なお、1度合格した科目は生涯有効となります。

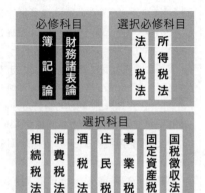

【試験日】

　通常、8月第1又は第2週の火曜日〜木曜日に実施されます。

【合格点・合格発表】

　合格基準点は各科目とも満点の60パーセントです。合格発表は11月下旬になります。

　その他、税理士試験の詳細については、国税庁ホームページをご覧下さい。

> ### https://www.nta.go.jp/index.htm
> 国税庁ホームページ　税の情報・手続・用紙　税理士に関する情報　税理士試験

本書シリーズ
法令等の改正情報の公開について

　本書税理士シリーズについて、法令等の改正や会計基準等の変更があった場合には、改正・変更に関する情報を公開いたします。

> ### https://www.net-school.co.jp/
> 読者の方へ　>　税理士試験 / 科目　>　改正情報

凡例(略式名称……正式名称)
　法……消費税法　　令……消費税法施行令　　規……消費税法施行規則
　基通……消費税法基本通達
　別表第一、第二、第三……消費税法別表第一、第二、第三
　所法……所得税法　　所令……所得税法施行令　　法法……法人税法
　法令……法人税法施行令　　国通法……国税通則法
　措法……租税特別措置法
　措令……租税特別措置法施行令

引用例
　法7①三　…　消費税法第7条第1項第3号
　基通10-1-19　…　消費税法基本通達10-1-19

（注）　本書は、令和6年(2024年)4月1日現在施行されている法令等に基づき作成しています。

Chapter 1

消費税とは II

| 問題 1 | 消費税の概要 | 基本 | 5分 |

次の文章の空欄を埋めなさい。

⑴　消費税の税率は 10% であり、国税（　①　）%、地方税（　②　）% で構成されている。

⑵　税の負担者と納税者が同一である税金を（　③　）、税の負担者と納税者が異なる税金を（　④　）といい、国内取引の消費税は（　④　）である。

⑶　税額計算を誰が行うかにより税金を分類した場合、（　⑤　）と（　⑥　）の 2 つの方式に分けられるが、消費税の国内取引については（　⑤　）を採用している。

⑷　取引を区分すると、（　⑦　）取引、（　⑧　）取引、（　⑨　）取引、国外取引に分けられ、消費税法では（　⑦　）取引と（　⑧　）取引をまとめたものを広義の（　⑦　）取引と捉えている。

⑸　消費税法では、（　⑩　）と（　⑪　）を事業者という。

⑹　消費税の計算の基礎となる期間を（　⑫　）という。

| 問題 2 | 納付税額の計算⑴ | 基本 | 10分 |

次の各問に基づいて、納付すべき税額を計算しなさい。

なお、控除対象仕入税額は、課税仕入れに係る消費税額の全額を控除するものとする。

問 1
- ⑴　課税売上高（税込）　　94,000,000 円
- ⑵　課税仕入高（税込）　　63,000,000 円

問 2
- ⑴　課税売上高（税込）　　54,118,400 円
- ⑵　課税仕入高（税込）　　37,882,900 円
- ⑶　中間納付税額　　　　　　300,000 円

問 3
- ⑴　課税売上高（税込）　181,560,000 円
- ⑵　課税仕入高（税込）　174,440,000 円
- ⑶　中間納付税額　　　　　　600,000 円

Ch 1

Ch 2

Ch 3

Ch 4

Ch 5

Ch 6

Ch 7

Ch 8

Ch 9

Ch 10

Ch 11

Ch 12

Ch 13

Ch 14

Ch 15

Ch 16

問 4

⑴　課税売上高（税込）　　121,040,000 円

⑵　課税仕入高（税込）　　135,975,000 円

計算　　　　　　　　　　　　　　答案用紙：　3頁　解答解説：　1-5頁

問題 3　納付税額の計算⑵　　　　　　　　基本　10分

　ＮＳ株式会社（以下「ＮＳ社」という。）は、工業機械（課税資産）の販売業を営んでいる法人であり、ＮＳ社の当課税期間に関連する取引の状況は、次の【資料】のとおりである。

　これに基づきＮＳ社の当課税期間（令和 7 年 4 月 1 日から令和 8 年 3 月 31 日）における確定申告により納付すべき消費税額をその計算過程を示して求めなさい。

　なお、控除対象仕入税額は、課税売上割合を 80% として個別対応方式によるものとする。

【資料】

⑴　課税売上高に関する事項（税込）

①　商品売上高　　　　　　　　86,400,000 円

②　工業機械修理売上高　　　　12,000,000 円

③　商品運搬用車両売却収入　　2,500,000 円

⑵　課税仕入れに関する事項（税込）

①　課税資産の譲渡等にのみ要する課税仕入れ

イ　商品仕入高　　　　　52,000,000 円

ロ　広告宣伝費　　　　　2,100,000 円

②　その他の資産の譲渡等にのみ要する課税仕入れ

イ　有価証券売却手数料　　　80,000 円

③　課税資産の譲渡等とその他の資産の譲渡等に共通して要する課税仕入れ

イ　本社事務所家賃　　　3,840,000 円

ロ　水道光熱費　　　　　1,200,000 円

⑶　中間納付税額　　　　　　　　827,100 円

········ *Memorandum Sheet* ········

Chapter 2

課税の対象 II

問 題 1	国内取引の判定(1)	基本	5分

次の取引のうち、国内取引に該当するものを選びなさい。

〔資産の譲渡又は貸付け〕

⑴　内国法人が沖縄にある土地を外国法人に売却する取引

⑵　内国法人がブリスベン（オーストラリア）に所有する土地を外国法人に売却する取引

⑶　外国法人がグアム（アメリカ）に所有する土地を内国法人に売却する取引

⑷　内国法人が日本にある棚卸資産を外国法人に売却する取引

⑸　内国法人がバンクーバー（カナダ）に所有する建物を内国法人に貸し付ける取引

⑹　内国法人が国内で製造した製品を国内支店で販売する取引

⑺　内国法人が国外の支店にある商品を外国法人に販売する取引

⑻　内国法人が大阪に所有する建物を外国法人に貸し付ける取引

⑼　内国法人が外国法人（銀行）に預けていた預金の利子を受け取る取引

　　なお、銀行預金に係る契約は国内に所在する内国法人の事務所で行われている。

⑽　外国法人が内国法人から貸付金の利息を受け取る取引

　　なお、貸し付けに係る契約は国外に所在する外国法人の事務所で行われている。

〔役務の提供〕

⑴　内国法人が下関から東京へ貨物を輸送する取引

⑵　外国法人がジャカルタ（インドネシア）から大阪へ貨物を輸送する取引

⑶　アメリカ人歌手が日本国内でコンサートをする取引

⑷　外国人英語教師が日本国内で講義をする取引

問題 2	国内取引の判定(2)	応用	5分

次の取引のうち、国内取引に該当するものを選びなさい。

〔資産の譲渡又は貸付け〕

⑴　外国法人が神戸市に所有する土地を内国法人に売却した。

⑵　外国法人が日本支店において商品を販売した。

⑶　外国法人が上海（中国）にある商品を内国法人の国外支店に販売した。

⑷　内国法人が国内で製造した製品を外国法人に輸出販売した。

⑸　内国法人が海外で製造した製品を現地で販売した。

⑹　内国法人が保有する特許権（日本で登録）を外国法人に売却した。

⑺　内国法人が保有する特許権（ドイツで登録）を外国法人に貸し付けた。

⑻　内国法人が保有する特許権（日本とカナダで登録）を外国法人に貸し付けた。

⑼　外国法人が国内でホテル経営のノウハウを内国法人に貸し付けた。

⑽　内国法人がノルウェー籍の船舶を外国法人に売却した。

〔役務の提供〕

⑴　外国法人が日本国内で広告宣伝を行った。

⑵　内国法人が他の内国法人より日本からシンガポールへの国際電話料金を収受した。

⑶　内国法人が外国法人から日本への国際電話料金を収受した。

⑷　日本人の大学教授が海外で講演を行った。

問 題 3 資産の譲渡等(1) 応用 10分

次に掲げる国内における取引の中から、「事業者が事業として行った」ものを選びなさい。

⑴ A法人が事業の用に供していた機械装置を買換えに当たり売却した。

⑵ 個人事業者Cが買掛金支払いのため生活の用に供している資産を売却した。

⑶ Rリース会社が国内に所在する建設会社に建設機械を賃貸した。

⑷ サラリーマンQ氏が土地付き一戸建住宅（Q氏の居住用）を売却した。

⑸ 不動産会社が土地付き一戸建住宅（居住用）を販売した。

⑹ X法人が事業の用に供していた商品運搬用車両を新車両購入の際下取りに出した。

⑺ 会社員B氏がワンルームマンション（居住用）を一部屋貸付けている。

⑻ Y百貨店がお中元用のコーヒーの詰め合わせを販売した。

⑼ サラリーマンG氏が自家用車を売却した。

⑽ オーストラリアの法人が日本に所有する工場（土地及び建物）を売却した。

計算

答案用紙： 5頁　解答解説： 2-3頁

| 問 題 4 | 資産の譲渡等(2) | 応用 | 10分 |

次に掲げる国内における取引の中から、「対価を得て行った」ものを選びなさい。

(1)　L社が所有する特許権を国内に所在するM社に使用させ、特許権使用料を得た。

(2)　宗教法人C神社が月額2万円で10台分の駐車場を賃貸している。

(3)　法人が火災により焼失した建物に係る保険金を受領した。

(4)　個人事業者Jが法人から株主として配当金の支払いを受けた。

(5)　法人が地方公共団体から助成金を受取った。

(6)　レジャークラブDが会員から会費を徴収した。

(7)　化粧品の小売店が消費者に対して試供品を贈与した。

(8)　個人事業者Tが心身又は資産につき加えられた損害の発生に伴い損害賠償金を受取った。

(9)　法人が社員に住宅を無償で貸付けた。

(10)　日本人プロゴルファーが日本国内で行われるゴルフのトーナメントに出場し、賞金を獲得した。

問 題 5	課税の対象(1)	基本	5分

次の取引のうち、消費税の課税対象取引に該当するものを選びなさい。

なお、特に指示がない取引については、国内において行われたものとする。

(1)　法人が得意先に商品を販売する取引

(2)　法人が得意先に商品を贈与する取引

(3)　法人が自社の役員に商品を贈与する取引

(4)　法人が従業員に商品を贈与する取引

(5)　法人が自社の役員に国内に所在する建物を無償で貸付ける取引

(6)　法人が資産につき加えられた損害の発生により加害者から損害賠償金を収受する取引

(7)　法人が所有する保養所（福利厚生施設）を従業員に使用させ、使用料を収受する取引

(8)　法人が損害の発生に伴い保険会社から保険金を収受する取引

(9)　法人が保有株式の配当金を収受する取引

(10)　法人が寄附金を収受する取引

(11)　法人が国から補助金を収受する取引

(12)　個人事業者が得意先に商品を贈与する取引

(13)　個人事業者が従業員に商品を販売する取引

(14)　個人事業者が商品を家事のために消費する取引

(15)　個人事業者が事業の用に供している車両を売却する取引

| 問 題 6 | 課税の対象(2) | 応用 | 5分 |

次の取引のうち、消費税の課税対象取引に該当するものを選びなさい。

なお、特に指示がない取引については、国内において行われたものとする。

⑴　不動産の明渡し期日を超えて退去したことにより賃貸人が賃借人から損害賠償金を
　　受け取る取引

⑵　建物の賃借人である法人が、その建物の賃貸借契約解除に伴い賃貸人から立退料を
　　受け取る取引

⑶　法人が運搬中の事故により損害賠償金を受け取った商品を廃棄する取引

⑷　法人が運搬中の事故により損害受けた商品について、加害者から損害賠償金を受け
　　取る取引（損害が軽微であり使用可能であったため、その商品は加害者に引き渡して
　　いる。）

⑸　法人が特許権を侵害されたことにより、特許権の使用料に相当する損害賠償金を加
　　害者から受け取る取引

⑹　法人が、発行法人の求めに応じて株式を引き渡す取引

⑺　町内会がその構成員である町民から町内会費を受け取る取引

⑻　インターネットカフェが新たな入会者より入会金（返還しない）を受け取る取引

⑼　法人が建物の貸付けに係る敷金（契約終了時に返還義務があるもの）を受け取る取引

⑽　法人が建物の貸付けに係る礼金（契約終了時に返還義務がないもの）を受け取る取引

⑾　法人が所有する土地が土地収用法により収用されたことに伴い対価補償金を受け取
　　る取引

⑿　法人が所有する土地が土地収用法により収用されたことに伴い収益補償金を受け取
　　る取引

⒀　日本放送協会（ＮＨＫ）が受信料を受け取る取引

⒁　法人（出向元事業者）が、出向先事業者の負担する給与負担金を受け取る取引

⒂　法人が自己の雇用している労働者の派遣を行い、派遣先から派遣料を受け取る取引

問題7　課税の対象の理論　　基本　5分

　課税の対象に関して、以下の文章の空欄を埋めなさい。ただし、特定資産の譲渡等及び特定課税仕入れについては触れる必要はない。

(1)　国内取引の課税対象

　　国内において（　①　）が行った（　②　）には、消費税を（　③　）。

(2)　輸入取引の課税対象

　　　（　④　）から引き取られる（　⑤　）には、消費税を（　③　）。

(3)　資産の譲渡等の意義

　　　（　②　）とは、（　⑥　）として（　⑦　）を得て行われる（　⑧　）及び（　⑨　）並びに（　⑩　）をいう。

問題8　国内取引の判定の理論(1)　　基本　5分

　次の場合における国内取引の判定場所を述べなさい。

　ただし、特例があるものについては、その特例については述べる必要はない。

(1)　資産の譲渡又は貸付けの場合

(2)　役務の提供の場合

問題9　国内取引の判定の理論(2)　　応用　5分

　次の取引について、消費税法令の適用関係を説明しなさい。

　　当社は、国外の石油化学プラントの建設工事における技術的な指導、助言、監督に関する業務契約を国内の建設業者と3千万円で締結しました。

　　この技術的な指導は、当該建設業者に対して国外の建設工事現場で行うものです。

　　また、石油化学プラントの建設資材の大部分は国外で調達されます。

（平成27年度本試験問題　改題）

理論　　　　　　　　　　　　　　　　　　　答案用紙： 6頁　解答解説： 2-7頁

問題10	みなし譲渡の理論	基本	5分

　資産の譲渡等が対価を得て行われていないにもかかわらず、事業として対価を得て行われたものとみなされる「みなし譲渡」に該当する行為を2つ述べなさい。

理論　　　　　　　　　　　　　　　　　　　答案用紙： 6頁　解答解説： 2-7頁

問題11	資産の譲渡等に類する行為の理論	応用	7分

　資産の譲渡等に類する行為を6つ述べなさい。

問題12	納付税額の計算	応用	10分

　甲株式会社（以下、「甲社」という。）は、家電製品（課税資産）の小売業を営んでいる法人であり、甲社の当課税期間に関連する取引の状況は、次のとおりである。

　これに基づき、当課税期間（令和7年4月1日〜令和8年3月31日）における確定申告により納付すべき消費税額をその計算過程を示して求めなさい。なお、仕入れに係る消費税額は課税売上割合を90％として個別対応方式によるものとする。

【資料】

(1)　収入に関する事項（一部、税込）

　　①　商品（家電製品）売上高　　　69,120,000円

　　②　備品売却収入　　　　　　　　870,000円

　　③　保有株式に係る配当金　　　　80,000円

　　④　子会社へ出向している社員に係る給与負担金収入

　　　　　　　　　　　　　　　　　　7,350,000円

(2)　課税仕入れに関する事項（税込）

　　①　課税資産の譲渡等にのみ要する課税仕入れ

　　　イ　商品仕入高　　　　　　　　41,472,000円

　　　ロ　広告宣伝費　　　　　　　　10,368,000円

　　②　その他の資産の譲渡等にのみ要する課税仕入れ

　　　イ　社宅修繕費　　　　　　　　860,000円

　　③　課税資産の譲渡等とその他の資産の譲渡等に共通して要する課税仕入れ

　　　イ　国内通信費　　　　　　　　2,073,600円

　　　ロ　事務所賃借料　　　　　　　5,529,600円

(3)　中間納付税額　　　249,200円

Chapter 3

非課税取引 II

問題 1　土地の譲渡及び貸付け等　　　　　　　　基本　5分

　次の取引のうち、非課税取引に該当するものを選びなさい。なお、与えられた取引は国内取引の要件を満たしている。

(1)　法人が土地を譲渡する取引

(2)　法人が土地を1週間貸し付ける取引

(3)　法人が借地権を譲渡する取引

(4)　法人が借地権の名義書換料を受け取る取引

(5)　法人が借地権の更新料を受け取る取引

(6)　法人が鉱業権を譲渡する取引

(7)　法人が土地の譲渡に伴う仲介手数料を受け取る取引

(8)　法人が駐車場設備が備わった土地を駐車場利用者に貸し付ける取引

(9)　法人が更地を駐車場経営者に貸し付ける取引

(10)　法人が土地付建物（住宅）を貸し付ける取引。なお、建物の貸付けと土地の貸付けの対価は区分されている。

(11)　法人が土地付建物（事務所）を貸し付ける取引。なお、建物の貸付けと土地の貸付けの対価は区分されている。

(12)　法人が電力会社の電柱の敷設に係る土地の賃貸収入を受け取る取引

問題 2　有価証券等の譲渡　　　　　　　　　　　基本　5分

　次の取引のうち、非課税取引に該当するものを選びなさい。なお、与えられた取引は国内取引の要件を満たしている。

(1)　法人が株式を譲渡する取引

(2)　法人が社債券を譲渡する取引

(3)　法人が株式の配当金を受け取る取引

(4)　法人が株式売買手数料を受け取る取引

(5)　法人がゴルフ場利用株式を譲渡する取引

(6)　法人が新株予約権付社債を譲渡する取引

(7)　法人が売掛金を譲渡する取引

(8)　取引先である合資会社の出資持分を譲渡する取引

計算　　　　　　　　　　　　　　　答案用紙：　9頁　　解答解説：　3-2頁

| 問題 3 | 利子を対価とする金銭の貸付け等 | 基本 | 3分 |

　次の取引のうち、非課税取引に該当するものを選びなさい。なお、与えられた取引は国内取引の要件を満たしている。

(1)　法人が社債の利子を受け取る取引

(2)　法人が貸付金の利子を受け取る取引

(3)　法人が手形の割引料を受け取る取引

(4)　法人が信用保証料を受け取る取引

(5)　法人が保険料（事務費用部分を除く。）を受け取る取引

(6)　法人が保険の代理店手数料を受け取る取引

計算　　　　　　　　　　　　　　　答案用紙：　9頁　　解答解説：　3-2頁

| 問題 4 | その他の非課税取引 | 基本 | 5分 |

　次の取引のうち、非課税取引に該当するものを選びなさい。なお、与えられた取引は国内取引の要件を満たしている。

(1)　日本郵便株式会社が郵便切手類の譲渡を行った。

(2)　印紙売りさばき所が印紙の譲渡を行った。

(3)　金券ショップが郵便切手類の譲渡を行った。

(4)　金券ショップが商品券の譲渡を行った。

(5)　法務局が商業登記の登記手数料を受け取った。

(6)　法人（国内銀行）が円とドルの両替に係る手数料を受け取った。

(7)　医療法人が保険診療に係る保険診療報酬を受け取った。

(8)　医療法人が自由診療に係る治療費を受け取った。

(9)　製薬会社が医薬品の譲渡を行った。

(10)　介護保険事業者が介護保険法に基づく居宅サービスを行う取引

⑾　医療法人が出産に係る検査、入院等の医療費を受け取った。

⑿　葬儀社が葬儀費用（火葬料を除く。）を受け取った。

⒀　法人が車いす（身体障害者用物品に該当するもの）の譲渡を行った。

⒁　学校法人が授業料を受け取った。

⒂　予備校が授業料を受け取った。

計算　　　　　　　　　　　　　答案用紙：　9頁　　解答解説：　3-3頁

問題 5　　住宅の貸付け(1)　　　　　　　　　　　　基本　　5分

　次の取引のうち、非課税取引に該当するものを選びなさい。なお、与えられた取引は国内取引の要件を満たしている。

⑴　法人が居住用建物を譲渡する取引

⑵　法人が建物を居住用マンションとして1年間貸し付ける取引

⑶　法人が建物を居住用マンションとして1週間貸し付ける取引

⑷　法人が建物を店舗として貸し付ける取引

⑸　法人が建物を別荘として貸し付ける取引

⑹　法人が建物をその法人の従業員に社宅として貸し付ける取引

⑺　法人が建物を賃貸借契約上居住用として貸し付ける取引。なお、賃借人は事務所用として使用している。

⑻　法人が居住用マンションの共益費を受け取る取引

⑼　店舗の賃貸借契約を賃借人が中途解約することとなったため、賃貸料相当額の解約金を賃貸借契約に基づき受け取った。

⑽　店舗の賃貸借契約に係る権利金で返還を要しないものを受け取った。

⑾　法人が居住用マンションの賃貸借契約を解除した賃借人がその明渡し期日から1ヵ月遅れて退去したことにより通常の家賃の1.5倍に相当する損害賠償金を受け取った。

計算　　　　　　　　　　　　　　　答案用紙：　9頁　　解答解説：　3-5頁

問題6　住宅の貸付け⑵　　　　　　　　応用　5分

次の【資料】に基づき個人事業者甲の不動産収入に係る非課税売上高を計算しなさい。

【資料】

⑴　「家賃収入」の内訳は、次のとおりである。

　①　3階建オフィスビル（以下「オフィスビル」という。）の事務所賃貸収入

　　　　　　　　　　　　　　　　　　　　　　　　　　　　　　　15,800,000 円

　②　4階建店舗付マンション（以下「店舗付マンション」という。）の1階店舗部分（以

　　下「店舗」という。）の賃貸収入　　　　　　　　　　　　　　　8,000,000 円

　③　②の店舗付マンションの2階から4階までの居住用マンション（以下「マンショ

　　ン」という。）の賃貸収入　　　　　　　　　　　　　　　　　　11,490,000 円

⑵　「共益費収入」は、各建物の賃借人の共用施設の利用に係るものであり、その内訳

　は、次のとおりである。

　①　オフィスビルに係るもの　　　　　　　　　　　　　　　　　　1,254,000 円

　②　店舗に係るもの　　　　　　　　　　　　　　　　　　　　　　　480,000 円

　③　マンションに係るもの　　　　　　　　　　　　　　　　　　　　864,000 円

⑶　「駐車場収入」の内訳は、次のとおりである。

　①　コインパーキング収入　　　　　　　　　　　　　　　　　　10,667,200 円

　②　駐車場収入　　　　　　　　　　　　　　　　　　　　　　　4,000,000 円

　　この駐車場は、アスファルトを敷設し区画整備をして賃貸している。

　③　①の敷地に隣接した土地の賃貸に係るもの　　　　　　　　　　1,200,000 円

　　賃借人は、賃借したその土地に自らアスファルトを敷設し駐車場として使用して

　　いる。

（平成 17 年度本試験問題　改題）

問題 7　課税取引、非課税取引、課税対象外取引　　基本　10分

　事業者が国内で行った次の取引が課税取引である場合にはＡ、非課税取引である場合にはＢ、課税対象外取引である場合にはＣを解答欄に記入しなさい。

⑴　商品が火災により焼失した。

⑵　国内の事業者から国外事業者への送金手数料を受け取った。

⑶　日本郵便株式会社が現金書留封筒の販売をした。

⑷　特許権に係る権利の設定により対価を受け取った。

⑸　建物につき加えられた損害に伴う損害賠償金を受け取った。

⑹　借地権に係る更新料を受け取った。

⑺　人材派遣会社が人材派遣料を受け取った。

⑻　有価証券（ゴルフ場利用株式等には該当しない。）を譲渡した。

⑼　ディスカウントショップで商品券を販売した。

⑽　教科用図書の配送料を受け取った。

⑾　臨時の駐車場として３週間土地を貸し付けた。

⑿　建物を事業用に貸し付けているが、その契約において土地部分と建物部分の賃貸料明確に区分されている。

問題 8　国内取引の非課税の理論　　基本　5分

　国内取引の非課税に関して以下の空欄を埋めなさい。

　国内において行われる資産の譲渡等のうち、次のものには、消費税を課さない。

⑴　（　①　）

⑵　（　②　）の譲渡

⑶　利子を対価とする金銭の貸付け、（　③　）を対価とする役務の提供等

⑷　（　④　）、印紙、証紙及び（　⑤　）の譲渡

⑸　（　⑥　）等及び（　⑦　）に係る役務の提供

⑹　社会保険医療等

⑺　介護保険法による居宅サービス等及び（　⑧　）等に係る資産の譲渡等

Ch 1
Ch 2
Ch 3
Ch 4
Ch 5
Ch 6
Ch 7
Ch 8
Ch 9
Ch 10
Ch 11
Ch 12
Ch 13
Ch 14
Ch 15
Ch 16

⑻　（　⑨　）に係る資産の譲渡等

⑼　（　⑩　）を対価とする役務の提供

⑽　（　⑪　）に係る資産の譲渡等

⑾　学校等の（　⑫　）として行う（　⑬　）

⑿　（　⑭　）の譲渡

⒀　（　⑮　）

理論　　　　　　　　　　　　答案用紙：　10頁　解答解説：　3-7頁

問 題 9	輸入取引の非課税の理論	基本	3分

輸入取引の非課税に関して以下の文章の空欄を埋めなさい。

保税地域から引き取られる（　①　）のうち、次のものには、（　②　）。

⑴　（　③　）

⑵　（　④　）

⑶　印紙

⑷　証紙

⑸　（　⑤　）

⑹　（　⑥　）

⑺　（　⑦　）

問題10　納付税額の計算　　　　　　　　　　応用　15分

　甲株式会社（以下、「甲社」という。）は、事務用品（課税資産）の小売業を営んでいる法人であり、甲社の当課税期間に関連する取引の状況は、次のとおりである。

　これに基づき、当課税期間（令和7年4月1日〜令和8年3月31日）における確定申告により納付すべき消費税額をその計算過程を示して求めなさい。なお、仕入れに係る消費税額は個別対応方式によるものとする。

【資料】

 (1) 売上げに関する事項（税込）

  ① 商品（事務用品）売上高 79,314,096円

  ② 保養所施設利用料収入 2,160,000円

  ③ 保有株式に係る配当金 150,000円

  ④ 損害賠償金収入 5,500,000円

  ⑤ 社員寮の賃貸料収入 6,082,000円

  ⑥ 銀行預金利息 358,640円

 (2) 課税仕入れに関する事項（税込）

  ① 課税資産の譲渡等にのみ要する課税仕入れ

   イ 商品（事務用品）仕入高 51,554,700円

   ロ 広告宣伝費 6,345,200円

   ハ 商品（事務用品）国内発送費 3,965,750円

  ② その他の資産の譲渡等にのみ要する課税仕入れ

   イ 社員寮修繕費 796,000円

  ③ 課税資産の譲渡等とその他の資産の譲渡等に共通して要する課税仕入れ

   イ 国内交通費 2,379,470円

   ロ 国内通信費 1,036,890円

   ハ その他費用 778,260円

 (3) 中間納付税額 407,200円

Chapter 4

免税取引Ⅱ

問 題 1	輸出免税等の取引の判定	基本	7分

次の取引のうち、免税税取引に該当するものを選びなさい。なお、特に指示があるものを除きすべて国内取引の要件を満たすものとする。

また、資産の譲渡及び貸付け並びに役務の提供についてはそれぞれ対価を収受しているものとする。

(1)　内国法人が飲料水を外国法人に輸出販売した。

(2)　内国法人が外国法人の依頼を受けて貨物をイタリアからフランスに輸送した。

(3)　内国法人が日本からアメリカへの国際電話料金を収受した。

(4)　内国法人である旅行会社が海外パック旅行に申し込んだ旅行者のパスポート交付申請の事務代行を行った。

(5)　内国法人である旅行会社が海外パック旅行に申し込んだ旅行者に対して国外の宿泊先を提供した。

(6)　内国法人がアメリカから日本への国際電話料金を収受した。

(7)　内国法人が非居住者の依頼により国内で非居住者の荷物を保管した。

(8)　内国法人がイギリスに所有している土地を外国法人に譲渡した。

(9)　内国法人が製造した製品を国内で輸出専門業者に販売した。

(10)　内国法人が輸入許可前の商品を国内の取引先に譲渡した。

(11)　内国法人が輸入許可前の商品を国外の取引先に譲渡した。

(12)　内国法人が特許権（登録地イギリス）を非居住者に譲渡した。

(13)　内国法人が所有している著作権を外国法人（非居住者）に貸し付けた。

(14)　内国法人が指定保税地域内で倉庫を貸し付けた。

(15)　内国法人が指定保税地域内に賃借している倉庫において海外の取引先の貨物（外国貨物）を保管し対価を収受した。

(16)　内国法人が指定保税地域内にある輸入許可後の貨物を運送し対価を収受した。

(17)　内国法人が輸入許可後の商品を国内の取引先に譲渡した。

(18)　内国法人が製品の材料を国外で購入し、国内の保税地域に搬入した後国内に引き取らず、国外のメーカー（非居住者）に転売した。

(19)　内国法人が外国法人（国内に支店等を有する。）に対し日本国内で市場調査を行った。

(20)　内国法人（飲食店）が非居住者に食事を提供し飲食代を受け取った。

(21)　国内の医療法人が外国人旅行客（非居住者）に対して治療（自由診療）を行い診療費を受け取った。

問　題　2	輸出免税等	応用	5分

次の【資料】に基づき甲社の輸出免税売上高を計算しなさい。

【資料】

(1) 健康増進機器（以下「製品」という。）に係る売上高　　　　　306,785,400 円

　　製品に係る売上高には、次のものが含まれているが、これら以外はすべて国内における課税資産の譲渡等に該当する。

① 輸出売上高　　　　　　　　　　　　174,519,100 円

　　このうちには、海外の仕入先から購入した外国貨物（製品の部材）を保税地域内で組み立て、組み立て後の製品を海外の取引先Ａ社に輸出した売上高 2,000,000 円が含まれている。

② 国内において甲社がＢ社の国内支店から注文を受け、国内で代金を受領し、Ｂ社の国外支店へ納品したもの　　　　　　2,678,900 円

(2) その他売上高　　　　　　　　　　　　　　　　　　　　618,000 円

　　外国法人である非居住者に該当するＣ社が国内において商品を仕入れるに当たり、Ｃ社の望む商品の情報提供を甲社の本社（国内）に委託した際の情報提供に係る対価の額である。なお、Ｃ社は国内に営業所等を有していない。

問　題　3	輸出免税等の理論	基本	3分

輸出免税等について、下記の空欄を埋めなさい。

(1) 内容

　　事業者（免税事業者を除く。）が国内において行う（　①　）のうち、（　②　）に該当するものについては、消費税を（　③　）。

(2) 輸出証明

　　この規定は、その（　①　）が（　②　）に該当するものであることにつき（　④　）がされたものでない場合には適用しない。

問題 4　輸出取引等の応用理論　　　　　　　　　　　　応用　10分

次の(1)及び(2)について、選択欄から正解を選んで、その理由を述べなさい。

（注）　1　特に断りがない限り、いずれも課税事業者である内国法人が令和7年4月中に

国内において行った取引である。

　　　　2　法令の適用に関し、満たすべき要件がある場合には、その要件をすべて満たし

ているものとする。

(1)　当社は、鞄・靴販売を営み国内に支店を有する外国企業からの依頼を受け、国内の市

場調査を行いました。この市場調査は、国内に新たな事業（教育産業ビジネス）を展開

するためのものであることから、直接、国外の本社と契約を締結しており、調査報告書

も本社に対して、データ伝送をしています。

　　この市場調査に係る取引について、消費税法令の適用はどのようになりますか。

≪選択欄≫

　　課税取引　　　非課税取引　　　免税取引　　　左記以外（不課税取引）

(2)　当社は、日本食レストランを営んでおり、国内に旅行に来ている外国人旅行客A（国

内に住所又は居所を有しない者）に対して、飲食を提供しました。

　　この飲食の提供に係る取引について、消費税法令の適用はどのようになりますか。

≪選択欄≫

　　課税取引　　　非課税取引　　　免税取引　　　左記以外（不課税取引）

（平成 28 年本試験問題　改題）

問題 5　輸出物品販売場における免税　　　　　　　　　基本　5分

次の取引のうち、免税取引に該当するものを選びなさい。なお、当事業者は、納税地の

所轄税務署長より輸出物品販売場の許可を受けている。また、免税となる取引については、

その要件を満たしているものとする。

(1)　旅行者（免税購入対象者）に対して財布（販売価額の合計額 50,000 円）を販売した。

(2)　旅行者（免税購入対象者）に対して化粧品（販売価額の合計額 6,000 円）を販売した。

(3)　旅行者（免税購入対象者）に対して時計（販売価額の合計額 4,000 円）を販売した。

⑷　居住者に対して財布（販売価額の合計額 50,000 円）を販売した。

⑸　居住者に対してデジタルカメラ（販売価額の合計額 80,000 円）を販売した。なお、これは居住者が海外の旅行先で使用するために購入したものである。

⑹　居住者に対してデジタルカメラ（販売価額の合計額 80,000 円）を販売した。なお、これは居住者が海外の知人に贈答する目的で購入したものである。

⑺　旅行者（免税購入対象者）に対して財布（販売価額の合計額 5,000,000 円）を販売した。なお、旅行者（免税購入対象者）は海外での販売目的で大量に購入している。

計算　　　　　　　　　　　　　　　答案用紙：　14頁　解答解説：　4-5頁

問題 6　取引区分のまとめ問題　　　応用　7分

甲社（以下「当社」という。）の以下の取引を 7.8%課税取引、免税取引、非課税取引、不課税取引に分類し、答案用紙に各取引の番号を記入しなさい。

（1）　当社は、国内で仕入れた課税商品を国外へ輸出販売した。

（2）　当社は、国内で仕入れた課税商品を国外にある支店で販売した。

（3）　当社は、国内の得意先に対し課税商品を贈与した。

（4）　当社は、当社の従業員に対し課税商品を贈与した。

（5）　当社は、当社の役員に対し備品（課税資産）を贈与した。

（6）　当社は、内国法人 A 社に対し備品を贈与した。

（7）　当社は、国内で登録した商標権を内国法人 B 社に貸付け商標権使用料を受け取った。

（8）　当社は、保有する国内上場企業に係る株式の配当金を受け取った。

（9）　当社は、国内の銀行から定期預金利子を受け取った。

（10）　当社は、当社の従業員に対し社宅を有償で貸し付け、社宅家賃を受け取った。

（11）　当社は、国外から仕入れた商品を通関手続きを行う前に内国法人 C 社に譲渡した。

（12）　当社は、内国法人 D 社に保養所を有償で貸し付け、保養所利用料収入を受け取った。

（13）　当社は、当社の従業員に対し保養所を有償で貸し付け、保養所利用料収入を受け取った。

（14）　当社は、当社の役員に対し保養所を無償で貸し付けた。

（15）　当社は、土地（更地）を内国法人 E 社に譲渡した。

（16）　当社は、土地を内国法人 F 社に 2 週間貸し付け、地代を受け取った。

（17）　当社は、国内に保有する土地を有償で外国法人 G 社に貸付期間 3 年間で貸し付けた。

（18）　当社は、アスファルト舗装した駐車場を貸し付け、駐車場料金を受け取った。

（19）　当社は、駐車場経営をする内国法人 H 社に土地を有償で貸付期間 3 年間で貸し付けた。

(20)　当社は、他者の土地の譲渡に伴い土地譲渡に係る仲介手数料を受け取った。

(21)　当社は、国内にある外国の大使館に派遣されて来ている外国の書記官に駐車場を貸し付けた。なお、この駐車場は外国の書記官が外交，領事その他の任務を遂行するために必要なものである。

(22)　当社は、商品（課税資産）を割引価格で購入できる条件の会員を募り、その会員となった顧客から入会金（返還を要しないもの）を受取った。

(23)　当社は上記(22)の会員となった顧客から年会費を受取った。なお、この顧客には定期的に商品及びイベント情報などを記載した会報を送付している。

理論　　　　　　　　　　　　　　　答案用紙：　14頁 解答解説：　4-6頁

| 問題 7 | 輸出物品販売場における免税の理論(1) | 基本 | 5分 |

輸出物品販売場における免税について、下記の空欄を埋めなさい。

　（　①　）が（　②　）に対し、免税対象物品（（　③　）又は（　④　）の地金その他（　⑤　）に供しないもの並びに一定の消耗品にあっては、一定の合計額が（　⑥　）を超えるもの以外の物品をいう。）で輸出するため一定の方法により（　⑦　）されるものの譲渡を行った場合には、その物品の譲渡については、消費税を（　⑧　）する。

理論　　　　　　　　　　　　　　　答案用紙：　14頁 解答解説：　4-7頁

| 問題 8 | 輸出物品販売場における免税の理論(2) | 基本 | 10分 |

輸出物品販売場における免税制度に関して、以下の各問に答えなさい。

問1　輸出物品販売場の定義を述べなさい。

問2　輸出物品販売場で譲渡した物品で免税取引の対象となるものの範囲を述べなさい。

問3　輸出物品販売場において免税により物品を購入した非居住者が、当該物品を輸出しない場合であっても、消費税の徴収が免除される場合を3つ述べなさい。

Chapter 5

課税標準及び
税率 II

| 問 題 1 | 低額譲渡・みなし譲渡 | 基本 | 7分 |

次の【資料】から当社の当課税期間（令和7年4月1日〜令和8年3月31日）における課税標準額を割戻し計算の方法により求めなさい。なお、金額は消費税等を含んだ金額である。また、軽減税率が適用される取引は含まれていない。

【資料】

⑴　課税商品A（通常の販売価額200,000円）を190,000円で販売した。

⑵　課税商品B（課税仕入れに係る金額180,000円、通常の販売価額300,000円）を当社の従業員に120,000円で販売した。

⑶　課税商品C（課税仕入れに係る金額120,000円、通常の販売価額300,000円）を当社の役員に150,000円で販売した。

⑷　課税商品Cを当社の役員に90,000円で販売した。

⑸　絵画H（購入価額220,000円、時価320,000円）を当社の役員に210,000円で売却した。

⑹　課税商品D（課税仕入れに係る金額160,000円、通常の販売価額280,000円）を当社の従業員に贈与した。

⑺　課税商品E（課税仕入れに係る金額120,000円、通常の販売価額340,000円）を当社の役員に贈与した。

⑻　絵画I（購入価額120,000円、時価200,000円）を当社の役員に贈与した。

| 問 題 2 | 資産の譲渡等に類する行為 | 基本 | 5分 |

次の【資料】から当社の当課税期間（令和7年4月1日〜令和8年3月31日）における課税標準額を割戻し計算の方法により求めなさい。なお、金額は消費税等を含んだ金額である。また、軽減税率が適用される取引は含まれていない。

【資料】

⑴　借入金200,000円の返済にあたり、課税商品（通常の販売価額210,000円）を引き渡し、6,000円を受け取った。

⑵　借入金120,000円の肩代わりをしてもらうことを条件に車両（帳簿価額100,000円、時価150,000円）を贈与した。

(3) 当社が所有する車両（帳簿価額 300,000 円、時価 350,000 円）を現物出資し、Ｓ社株式（時価 600,000 円）を取得した。

(4) 当社が所有する車両（帳簿価額 300,000 円、時価 350,000 円）と、得意先が所有する車両（時価 400,000 円）を交換し、得意先に交換差金 50,000 円を支払った。

計算　　　　　　　　　　　　　　　答案用紙：　17頁　解答解説：　5-3頁

| 問題 3 | 一括譲渡・その他 | 基本 | 7分 |

次の【資料】から当社の当課税期間（令和 7 年 4 月 1 日～令和 8 年 3 月 31 日）における課税標準額に対する消費税額を割戻し計算の方法により求めなさい。なお、金額は消費税等を含んだ金額である。また、軽減税率が適用される取引は含まれていない。

【資料】

(1) 当社が所有する土地付建物を 1,000,000 円で売却し、現金を受け取った。なお、売却した建物と土地の時価の比は 2 : 8 である。

(2) 当社が所有する建物を 48,000,000 円で譲渡し、未経過固定資産税 30,000 円と共に現金で受け取った。

(3) ゴルフプレー代 215,000 円（うち、ゴルフ場利用税 15,000 円）を受け取った。

(4) 事務所用として建物を貸し付け、家賃 200,000 円と共益費 10,000 円を受け取った。

(5) 当社が所有する中古車両を 300,000 円で下取りに出し、新車両 500,000 円を購入し、差額 200,000 円は現金で支払った。

(6) 当社が得意先に販売した課税商品につき、当課税期間末において販売価格が決定していなかったため、80,000 円を課税資産の譲渡等の対価として見積もった。なお、翌課税期間に販売価格が 85,000 円と決定されている。

問題 4　低額譲渡　　　　　　　　　　　　　　　　応用　5分

　次の【資料】から甲社（ドラッグストアを経営する課税事業者）の当課税期間（令和7年4月1日〜令和8年3月31日）における課税標準額を割戻し計算の方法により求めなさい。なお、金額は消費税等を含んだ金額である。また、軽減税率が適用される取引は含まれていない。

【資料】

　雑収入には、次のものがそれぞれ含まれているが、それ以外はすべて資産の譲渡等の対価に該当しない

⑴　ドラッグストアのレジにおいて生じた現金過不足　　　　　　　　63,000 円

⑵　借上社宅に係る従業員からの賃貸収入　　　　　　　　　　　　480,000 円

⑶　製品の製造過程で生じた作業屑及び不要段ボールの売却代金　　210,000 円

⑷　甲社の役員に医薬部外品に該当する健康食品（通常販売価額 315,000 円、課税仕入れに係る金額 147,000 円）の販売価格　　　　　　　　　　150,000 円

（平成 15 年本試験問題　改題）

問題 5　売上げに計上すべき金額　　　　　　　　　基本　10分

　次に掲げる取引はすべて課税事業者が行った国内取引である。課税売上げ又は非課税売上げとして計上すべき金額を求めなさい。

⑴　A社はA社所有の建物（贈与時の時価 100,000,000 円）を、A社の役員に対しA社の債務 60,000,000 円の肩代わりを条件に贈与した。

⑵　D社はD社所有の土地付建物を 250,000,000 円で取引先に譲渡した。なお、土地と建物の時価の比は 6：4 である。

⑶　J社は以前取引先K社から債権 1,000,000 円（K社がK社の取引先L社に対して有していた売上債権（売掛金））を 900,000 円で購入していたが、本日L社より 1,000,000 円の弁済を受けた。

⑷　L社は土地収用法の規定により土地（帳簿価額 22,000,000 円、収用時の価額 30,000,000 円）と建物（帳簿価額 8,500,000 円、収用時の価額 7,900,000 円）を収用され、土地に係る対価補償金 31,000,000 円、建物に係る対価補償金 8,000,000 円を受け取った。

(5)　M作家がテレビ放送に出演して出演料 450,000 円を受け取った。

(6)　N社は事業用固定資産（帳簿価額 350,000 円、譲渡時の価額 400,000 円）を 300,000 円で取引先に譲渡した。

(7)　個人事業者Oは、商品保管用倉庫（建物の帳簿価額 352,000 円、土地の帳簿価額 3,000,000 円）を 21,080,000 円で譲渡した。なお、この取引に係る売買契約において建物譲渡対価 1,080,000 円、土地譲渡対価 20,000,000 円と明記されている。また、上記譲渡対価とは別に固定資産税の未経過分として 11,000 円（建物に係るもの 1,200 円、土地に係るもの 9,800 円）を受け取っている。

(8)　Q社はR社からの借入金 4,000,000 円の返済に際し、Q社所有の課税商品（通常販売価額 5,200,000 円）で弁済した。なお、Q社が当該課税商品を仕入先から仕入れた際の支払金額は 3,380,000 円であった。

(9)　X社はX社所有の商品保管用倉庫をY社所有の商品保管用倉庫と交換した。交換時の価額は次のとおりである。なお、X社は交換差金として 2,000,000 円を受け取っている。

| | X社所有の商品保管用倉庫 | | Y社所有の商品保管用倉庫 | |
	帳　簿　価　額	交換時の価額	帳　簿　価　額	交換時の価額
土　地	16,000,000 円	14,000,000 円	15,000,000 円	13,000,000 円
建　物	6,000,000 円	5,000,000 円	4,500,000 円	4,000,000 円

計算　　　　　　　　　　　答案用紙：　18頁　解答解説：　5-6頁

問題6　その他　　　　　　　　　　応用　5分

　次の【資料】に基づき、甲社の課税標準額及び非課税売上高を割戻し計算の方法により求めなさい。なお、甲社は消費税等の処理について税抜経理方式を採用している。

【資料】

　損益計算書に計上されている不動産販売収入の内訳は、次のとおりである。

(1)　新築住宅の分譲販売収入

　　土地　395,069,980 円、建物　470,413,938 円（仮受消費税等 47,041,394 円）

(2)　上記(1)の販売時に土地に係る固定資産税の未経過分の精算金として受け取った金額

1,007,835 円

　固定資産税は 1 月 1 日現在の所有者に課される保有税であり、甲社は、販売時以降の期間に対応する金額を固定資産税の未経過分の精算金として、販売代金とは別途に購入者から受け取っている。なお、甲社は分譲時に所有名義変更等の手続きは適正に行っている。

（平成 23 年本試験問題　改題）

問題7　課税標準額に対する消費税額(1)　　　基本　5分

　次の【資料】から当社の当課税期間（令和7年4月1日〜令和8年3月31日）における課税標準額に対する消費税額を(1)割戻し計算の方法、(2)積上げ計算の方法でそれぞれ求めなさい。なお、金額は消費税等を含んだ金額である。

【資料】

　1.　当社が交付した適格請求書の写し

　　①　標準税率が適用される課税商品の売上高　　　　　45,328,000 円

　　②　①に係る消費税額及び地方消費税額の合計額　　　4,120,727 円

　　③　軽減税率が適用される課税商品の売上高　　　　　37,412,000 円

　　④　③に係る消費税額及び地方消費税額の合計額　　　2,771,259 円

問題8　課税標準額に対する消費税額(2)　　　基本　5分

　次の【資料】から食料品販売業を営む当社の当課税期間（令和7年4月1日〜令和8年3月31日）における課税標準額に対する消費税額を割戻し計算の方法により求めなさい。なお、金額は消費税等を含んだ金額である。

【資料】

　(1)　食料品販売店舗における飲食料品（食品表示法に規定する食品）の売上高

　　　　　　　　　　　　　　　　　　　　　　　　　　28,902,000 円

　(2)　食料品販売店舗における雑貨（飲食料品に該当するものではない。）の売上高

　　　　　　　　　　　　　　　　　　　　　　　　　　9,364,000 円

　(3)　食料品販売店舗において不要となった備品の売却高　　　61,600 円

理論　　　　　　　　　　　答案用紙：　21頁　解答解説：　5-9頁

問題 9　国内取引の課税標準の理論（1）　　基本　5分

国内取引の課税標準に関して以下の文章の空欄を埋めなさい。

⑴　原則

　課税資産の譲渡等に係る消費税の課税標準は（　①　）とする。

⑵　低額譲渡

　法人が資産をその（　②　）に譲渡した場合において、その（　③　）がその譲渡の時におけるその（　④　）に比し著しく低いときは、その（　⑤　）に相当する金額を（　③　）とみなす。

⑶　資産の譲渡とみなす行為

　①　個人事業者が棚卸資産等の事業用資産を家事のために消費し、又は使用した場合におけるその消費又は使用については、その（　⑥　）におけるその資産の価額に相当する金額を対価の額とみなす。

　②　法人が資産をその役員に対して贈与した場合におけるその贈与については、その（　⑦　）におけるその資産の価額に相当する金額を対価の額とみなす。

理論　　　　　　　　　　　答案用紙：　21頁　解答解説：　5-10頁

問題10　輸入取引の課税標準　　基本　3分

輸入取引の課税標準に関して以下の算式の空欄を埋めなさい。

　輸入取引に係る課税標準＝関税課税価格＋（　①　）＋（　②　）

理論　　　　　　　　　　　答案用紙：　21頁　解答解説：　5-10頁

問題11　国内取引の課税標準の理論（2）　　応用　10分

　課税事業者であるＡは、法人Ｘとの間で中古建物の売買契約を締結し、当課税期間において譲渡対価を収受して当該建物を引き渡した。また、当該売買契約において、当該建物に係る固定資産税の未経過分に相当する金額については、買主であるＸが負担することとしており、Ａは建物の譲渡対価とは別に当該固定資産税の未経過相当額を収受した。

　この場合のＡが行う建物の譲渡について、消費税法令の適用関係を述べなさい。

（令和2年本試験問題　改題）

········ *Memorandum Sheet* ········

Chapter 6

納税義務者Ⅱ

問 題 1　納税義務者の原則の理論　　　基本　5分

　納税義務者の原則について、国内取引と輸入取引に分けて述べなさい。なお、特定資産の譲渡等及び特定課税仕入れについては触れる必要はない。

問 題 2　納税義務の有無の判定(1)　　　基本　5分

　次の【資料】に基づいて基準期間における課税売上高を計算し、当課税期間の納税義務の有無を判定しなさい。なお、当社は前課税期間まで継続して課税事業者であり、金額は税込みである。また、軽減税率が適用される取引は含まれていない。

【資料】　基準期間（自令和5年4月1日　至令和6年3月31日）における売上高等

(1)　課税商品売上高　　　　　　　　　　　　　　　　　　10,400,000 円

　　　（うち、輸出免税売上高に係るもの　　　　　　　　2,000,000 円）

(2)　売上値引　　　　　　　　　　　　　　　　　　　　　372,000 円

　　　（うち、輸出免税売上高に係るもの　　　　　　　　　57,000 円）

(3)　貸倒損失　　　　　　　　　　　　　　　　　　　　　630,000 円

　　　（すべて課税資産の譲渡等に係る売掛債権の貸倒処理によるもの）

(4)　受取利息　　　　　　　　　　　　　　　　　　　　　50,000 円

(5)　ゴルフ場利用株式等の売却収入　　　　　　　　　　　300,000 円

| 問題3 | 納税義務の有無の判定(2) | 基本 | 10分 |

次の各ケースにおける当課税期間である×4期（令和7年4月1日から令和8年3月31日）の基準期間における課税売上高を計算し、納税義務の有無の判定を行いなさい。なお、問題文から判明する場合を除き、基準期間は課税事業者に該当する。また、【資料】から判断できない事項については考慮する必要はない。

【資料】

事業年度	課税売上高（税込）
〔ケース①〕	
×1期：令和4年10月1日～令和5年7月31日	9,650,000 円
×2期：令和5年8月1日～令和6年5月31日	9,450,000 円
×3期：令和6年6月1日～令和7年3月31日	9,830,000 円
×4期：令和7年4月1日～令和8年3月31日	10,550,000 円
※×4期に事業年度を変更している。	
〔ケース②〕	
×1期：令和4年10月1日～令和5年9月30日	10,290,000 円
×2期：令和5年10月1日～令和6年3月31日	5,734,000 円
×3期：令和6年4月1日～令和7年3月31日	11,550,000 円
×4期：令和7年4月1日～令和8年3月31日	12,600,000 円
※×2期に事業年度を変更している。	
〔ケース③〕	
×1期：令和4年4月1日～令和5年3月31日	8,085,000 円
×2期：令和5年4月1日～令和6年3月31日	9,702,000 円
×3期：令和6年4月1日～令和7年3月31日	11,550,000 円
×4期：令和7年4月1日～令和8年3月31日	13,755,000 円
※　×1期に設立された。設立時の資本金は800万円であり、その後資本金の増減はない。	

※　上記課税売上高には軽減税率が適用される取引は含まれていない。

問 題 4　納税義務の有無の判定(3)　　　　基本　7分

　当社の各課税期間に係る取引は、次のとおりであった。当課税期間×4期（令和7年4月1日～令和8年3月31日）の基準期間における課税売上高を計算し、納税義務の有無の判定を行いなさい。なお、当社の課税期間は、毎期4月1日から翌年3月31日までである。また、当社は前課税期間まで継続して課税事業者であり、金額は税込みである。

		×1期	×2期	×3期
I	資産の譲渡等の金額	143,450,000 円	145,700,000 円	147,200,000 円
	Iのうち非課税取引に係るもの	28,600,000 円	35,300,000 円	30,100,000 円
	Iのうち免税取引に係るもの	15,100,000 円	12,300,000 円	14,200,000 円
II	Iの売上げに係る対価の返還等	8,550,000 円	9,550,000 円	9,300,000 円
	IIのうち免税取引に係るもの	1,200,000 円	1,150,000 円	1,170,000 円

※上記取引金額には軽減税率が適用される取引は含まれていない。

問 題 5　納税義務の有無の判定(4)　　　　応用　7分

　以下の【資料】に基づいて当社の当課税期間×4期（令和7年4月1日～令和8年3月31日）における納税義務の有無の判定を行いなさい。また、当社は前課税期間まで継続して課税事業者であり、金額は税込みである。なお、軽減税率が適用される取引は含まれていない。

【資料】

		×2期 令和6年1月1日 ～令和6年12月31日	×3期 令和7年1月1日 ～令和7年3月31日
(1)	総売上高	26,750,000 円	19,824,000 円
	（うち輸出免税売上げに係るもの）	（ 5,200,000 円）	（ 3,570,000 円）
(2)	売上割戻	2,730,000 円	1,995,000 円
	（うち輸出免税売上げに係るもの）	（ 630,000 円）	（ 420,000 円）
(3)	株式の売却収入	2,200,000 円	1,500,000 円
(4)	車両売却代金	500,000 円	600,000 円
(5)	受取利息	63,000 円	50,000 円

| 問 題 6 | 納税義務の有無の判定⑸ | 応用 | 10分 |

次の【資料】に基づき、甲社の当課税期間（令和7年4月1日～令和8年3月31日）の基準期間における課税売上高を計算し、納税義務の有無を判定しなさい。なお、甲社の経理処理は税込経理方式とする。また、軽減税率が適用される取引は含まれていない。

【資料】

1　甲社の取引等の状況

⑴　甲社の各課税期間に係る取引は、次のとおりである。なお、甲社の前事業年度以前の各課税期間については、すべて消費税の納税義務者となっている。

取引の状況		前々事業年度 自令和5年4月1日 至令和6年3月31日	前事業年度 自令和6年4月1日 至令和7年3月31日
Ⅰ　資産の譲渡等の金額		13,675,086 円	93,256,205 円
	Ⅰのうち非課税取引に係るもの	10,987,600 円	10,878,000 円
	Ⅰのうち免税取引に係るもの	0 円	8,967,000 円
Ⅱ　Ⅰの売上げに係る対価の返還等		50,780 円	698,260 円
	Ⅱのうち非課税取引に係るもの	1,000 円	2,500 円
	Ⅱのうち免税取引に係るもの	0 円	206,000 円

⑵　前々事業年度中に行われた事業譲渡に係る取引の状況

　　甲社は、前々事業年度中に乙株式会社（以下「乙社」という。）に対しペットの卸売部門の事業譲渡を行っており、この譲渡に係る取引の仕訳は次のとおりであり税込経理されている。

　　また、事業譲渡に係る資産は事業譲渡時の価額により譲渡されており、注記された科目以外の科目の帳簿価額は事業譲渡時の価額に相当するものとする。

　　なお、この取引については上記⑴の取引の状況に含まれていない。

借　　方			貸　　方		
科　　目	金　　額	(注)	科　　目	金　　額	(注)
現　　　　金	127,000,000 円		土　　　　地	20,000,000 円	1
			建　　　　物	2,600,000 円	
			売　　掛　　金	42,000,000 円	
			棚　卸　資　産	2,400,000 円	
			差　入　保　証　金	2,000,000 円	
			投　資　有　価　証　券	5,000,000 円	2
			事　業　譲　渡　益	53,000,000 円	3
合　　　計	127,000,000 円		合　　　計	127,000,000 円	

(注) 1　事業譲渡時の価額は 60,000,000 円である。

　　　2　取引先であるペット用品に係る総合メーカー丙株式会社の株式であり、事業譲渡時の価額は 10,000,000 円である。

　　　3　事業譲渡益には、乙社との契約により営業権の対価として収受した 8,000,000 円が含まれている。

（平成 18 年本試験問題　改題）

理論　　　　　　　　　　　　　　　　　　答案用紙：　24頁　解答解説：　6-6頁

問題 7	納税義務の有無の判定の理論	基本	5分

以下の文章の空欄を埋め文章を完成させなさい。

　事業者、すなわち（　①　）及び（　②　）は、国内において行った課税資産の譲渡等について納税義務者となる。

　ただし、（　③　）における課税売上高が（　④　）である小規模事業者（適格請求書発行事業者を除く。）は、納税事務の負担が大きいことや税収への影響が小さいことを考慮して、国内取引において行った課税資産の譲渡等について納税義務が免除される。ここで（　③　）とは、個人事業者の場合は（　⑤　）、法人の場合は原則として（　⑥　）を指す。

　この納税義務の有無の判定により、納税義務が免除された事業者は（　⑦　）、免除されない事業者は（　⑧　）と呼ばれる。

問 題 8　課税事業者の選択の理論　　基本　5分

(1)　基準期間における課税売上高が 1,000 万円以下であり、免税事業者と判定された事業者が、課税事業者の選択の規定の適用を受けようとするとき、提出が必要となる届出書名は何か、また、その届出書の効力発生時期の原則を答えなさい。

(2)　(1)の届出書を提出した事業者が、課税事業者の選択の規定の適用を受けることをやめようとするとき、提出が必要となる届出書名は何か、また、その届出書の効力発生時期はいつか、さらに、その届出書の提出制限について述べなさい。

問 題 9　前年等の課税売上高による納税義務の免除の特例(1)　基本　7分

当社の各課税期間に係る取引は、次のとおりであった。当課税期間（令和 7 年 4 月 1 日から令和 8 年 3 月 31 日まで）の納税義務の有無の判定を行いなさい。なお、当社は前課税期間まで継続して課税事業者であり、金額は税込みである。また、軽減税率が適用される取引は含まれていない。

取引の状況		前々事業年度	前事業年度	
		自令和 5 年 4 月 1 日 至令和 6 年 3 月 31 日	自令和 6 年 4 月 1 日 至令和 6 年 9 月 30 日	自令和 6 年 10 月 1 日 至令和 7 年 3 月 31 日
I　資産の譲渡等の金額		9,450,000 円	12,500,000 円	15,000,000 円
	I のうち非課税取引に係るもの	0 円	230,000 円	350,000 円
	I のうち免税取引に係るもの	0 円	180,000 円	550,000 円
II　I の売上げに係る対価の返還等		126,000 円	370,000 円	680,000 円
	II のうち非課税取引に係るもの	0 円	17,000 円	20,000 円
	II のうち免税取引に係るもの	0 円	9,000 円	150,000 円

問題10　前年等の課税売上高による納税義務の免除の特例⑵　基本　7分

　当社の各課税期間に係る取引は、次のとおりであった。当課税期間（令和7年4月1日から令和8年3月31日まで）の納税義務の有無の判定を行いなさい。なお、当社は前課税期間まで継続して課税事業者であり、金額は税込みである。また、軽減税率が適用される取引は含まれていない。

取引の状況	前々々事業年度 自令和5年8月1日 至令和6年7月31日
Ⅰ　資産の譲渡等の金額	10,550,000 円
Ⅰのうち非課税取引に係るもの	50,000 円
Ⅱ　Ⅰの売上げに係る対価の返還等	0 円
Ⅱのうち非課税取引に係るもの	0 円

取引の状況	前々事業年度 自令和6年8月1日 至令和6年11月30日
Ⅰ　資産の譲渡等の金額	11,800,000 円
Ⅰのうち非課税取引に係るもの	200,000 円
Ⅱ　Ⅰの売上げに係る対価の返還等	120,000 円
Ⅱのうち非課税取引に係るもの	16,000 円

取引の状況	前事業年度 自令和6年12月1日 至令和7年3月31日
Ⅰ　資産の譲渡等の金額	12,000,000 円
Ⅰのうち非課税取引に係るもの	220,000 円
Ⅱ　Ⅰの売上げに係る対価の返還等	150,000 円
Ⅱのうち非課税取引に係るもの	30,000 円

| 問題11 | 前年等の課税売上高による納税義務の免除の特例(3) | 基本 | 7分 |

当社の各課税期間に係る取引は、次のとおりであった。当課税期間（令和7年4月1日から令和8年3月31日まで）の納税義務の有無の判定を行いなさい。なお、当社は前課税期間まで継続して課税事業者であり、金額は税込みである。また、軽減税率が適用される取引は含まれていない。

取引の状況	前々事業年度		前事業年度
	自令和5年11月1日 至令和6年4月30日	自令和6年5月1日 至令和6年10月31日	自令和6年11月1日 至令和7年3月31日
Ⅰ　資産の譲渡等の金額	5,500,000円	5,200,000円	5,000,000円
Ⅰのうち非課税取引に係るもの	500,000円	300,000円	320,000円
Ⅱ　Ⅰの売上げに係る対価の返還等	300,000円	120,000円	250,000円
Ⅱのうち非課税取引に係るもの	20,000円	15,000円	40,000円

| 問題12 | 前年等の課税売上高による納税義務の免除の特例(4) | 応用 | 7分 |

当社の各課税期間に係る取引及び当該期間中に当社（内国法人）が支払った支払明細書に記載されている給与等の金額は、次のとおりであった。当課税期間（令和7年4月1日から令和8年3月31日まで）の納税義務の有無の判定を行いなさい。なお、当社は前課税期間まで継続して課税事業者であり、金額は税込みである。また、軽減税率が適用される取引は含まれていない。

取引の状況	前々事業年度	前事業年度	
	自令和5年4月1日 至令和6年3月31日	自令和6年4月1日 至令和6年9月30日	自令和6年10月1日 至令和7年3月31日
Ⅰ　資産の譲渡等の金額	9,660,000円	11,500,000円	9,000,000円
Ⅰのうち非課税取引に係るもの	0円	200,000円	150,000円
Ⅰのうち免税取引に係るもの	0円	150,000円	350,000円
Ⅱ　Ⅰの売上げに係る対価の返還等	0円	310,000円	780,000円
Ⅱのうち非課税取引に係るもの	0円	20,000円	50,000円
Ⅱのうち免税取引に係るもの	0円	10,000円	250,000円
給与等の金額	7,900,000円	4,800,000円	2,400,000円

問題13　新設法人の納税義務の免除の特例　　応用　7分

　A社は令和6年2月1日に設立された法人であるが、次の【資料】より、A社の各課税期間における納税義務の有無を計算過程を示して判定しなさい。なお、【資料】から判断できない事項については考慮する必要はない。また、軽減税率が適用される取引は含まれていない。

【資料】

　1　各事業年度における課税売上高及び資本金の額

取引の状況	第1期 自令和6年2月1日 至令和6年3月31日	第2期 自令和6年4月1日 至令和7年3月31日	第3期 自令和7年4月1日 至令和8年3月31日
課税売上高（税込）	0円	12,800,000円	21,000,000円
期首資本金の額	8,000,000円	12,000,000円	12,000,000円
特　記　事　項	設立初年度に該当する。なお、当事業年度は開業準備しか行われておらず、課税売上げは生じていない。	取引先との関係から令和6年4月1日に増資を行っている。	

　2　各事業年度における上半期の課税売上高及び給与等の額

取引の状況	第1期 自令和6年2月1日 至令和6年3月31日	第2期 自令和6年4月1日 至令和6年9月30日	第3期 自令和7年4月1日 至令和7年9月30日
課税売上高（税込）	0円	4,500,000円	9,000,000円
給　与　等　の　額	0円	1,200,000円	3,000,000円

問題14　新設法人の納税義務の免除の特例の理論　　基本　5分

　「新設法人の納税義務の免除の特例」が適用される法人（新設法人）に該当する要件を2つあげなさい。

問題15　特定新規設立法人の納税義務の免除の特例　　基本　7分

甲社は令和5年4月1日に乙社の100%出資により設立された新規設立法人である。

次の【資料】に基づいて甲社の第1期から第3期までの各課税期間における納税義務を判定しなさい。なお、軽減税率が適用される取引は含まれていない。

【資料】

1　甲社の課税売上高等

取引の状況	第1期 自令和5年4月1日 至令和6年3月31日	左のうち 令和5年4月1日から 令和5年9月30日まで に係る金額
課税売上高（税抜）	15,700,000円	7,536,000円
期首資本金の額	5,000,000円	

取引の状況	第2期 自令和6年4月1日 至令和7年3月31日	左のうち 令和6年4月1日から 令和6年9月30日まで に係る金額
課税売上高（税抜）	18,000,000円	8,640,000円
期首資本金の額	10,000,000円	

取引の状況	第3期 自令和7年4月1日 至令和8年3月31日	左のうち 令和7年4月1日から 令和7年9月30日まで に係る金額
課税売上高（税抜）	28,100,000円	14,331,000円
期首資本金の額	10,000,000円	

2　乙社の課税売上高

取引の状況	第7期 自令和3年4月1日 至令和4年3月31日	第8期 自令和4年4月1日 至令和5年3月31日
課税売上高（税抜）	735,000,000円	689,765,000円
取引の状況	第9期 自令和5年4月1日 至令和6年3月31日	第8期 自令和6年4月1日 至令和7年3月31日
課税売上高（税抜）	612,541,700円	624,792,000円

問題16　特定新規設立法人の納税義務の免除の特例の理論 ｜ 基本 ｜ 10分

　新規設立法人が「特定新規設立法人の納税義務の免除の特例」が適用される法人（特定新規設立法人）に該当する要件を２つあげなさい。

Chapter 7

仕入税額控除Ⅱ

計算　　　　　　　　　　　　　　答案用紙：　30頁　解答解説：　7-1頁

問題 1　課税仕入れの判定(1)　　　　　　　　　基本　10分

　法人の次に掲げる支出のうち、課税仕入れに該当するものには○を、それ以外のものには×を付しなさい。なお、特に指示がない限り取引は国内において行われているものとし、商品はすべて課税資産であるものとする。

(1)　従業員に対して支払った賃金

(2)　従業員の通勤手当（通常必要と認められるもの）

(3)　会社負担の社会保険料

(4)　従業員の慶事に伴って支払った祝金

(5)　従業員の残業食事代（弁当を購入し、従業員に支給したもの）

(6)　国内出張に関する旅費

(7)　海外出張に関する旅費

(8)　電気代

(9)　事務用消耗品の購入

(10)　土地の購入費用

(11)　商品の購入費用

(12)　免税事業者から購入した乗用車の購入費用

(13)　一般消費者から購入した事務所用建物の購入費用

(14)　弁護士に支払った顧問料

(15)　商品の国内運送費用

(16)　商品の広告宣伝費用

(17)　贈答用の図書カードの購入費用

(18)　郵便局から購入した切手の購入費用

(19)　事務所の賃借料

(20)　得意先の接待に伴う飲食費用

(21)　寄附金の支払い

(22)　国内の慰安旅行をキャンセルしたことによる違約金の支払い

(23)　借入金の支払利息

(24)　ライオンズクラブの年会費（対価性のないもの）

(25)　国内電話料金

(26)　国際電話料金

(27)　外国為替手数料

(28)　土地の購入にあたって不動産業者に支払った仲介手数料

(29)　法人税の中間納付額

(30)　輸出商品を保管するために指定保税地域内に賃借している倉庫の賃借料

問題 2　課税仕入れの判定⑵　　　　　　　　　　　　応用　10分

　事業者の次に掲げる支出のうち、課税仕入れに該当するものには〇を、それ以外のものには×を付しなさい。なお、特に指示がない限り取引は国内において行われているものとし、法人の行った取引であるものとする。

(1)　人材派遣会社に支払った派遣料

(2)　出向社員に係る関係会社への給与負担金

(3)　新入社員の当社への就職に伴う転居のための旅費（通常必要と認められるもの）

(4)　ゴルフクラブの入会金（脱退時に返還されるもの）

(5)　従業員の福利厚生用のスポーツクラブ入会金（脱退時に返還されないもの）

(6)　国内出張に際し従業員に支払った日当

(7)　火災により廃棄処分した当期に仕入れた商品（課税資産）の仕入代金

(8)　⑺の火災により受け取った保険金で購入した商品（課税資産）の仕入代金

(9)　有価証券の購入費用

(10)　⑼の有価証券の購入の際に証券会社に支払った手数料

(11)　借入金の申込みに際し、社長の友人に支払った保証料

(12)　土地の賃借料（貸付期間3週間）

(13)　ＮＰＯ法人への寄附金

(14)　得意先に対してお中元として贈答する食料品の購入費用

(15)　得意先に対してお歳暮として贈答する商品券の購入費用

(16)　取引先役員の葬儀での供花代

(17)　国外の営業所設置のために購入した国外にある建物の購入費用

(18)　同業者団体に対する通常会費

(19)　同業者団体が主催する研修会の受講料

(20)　国内の空港に設置した看板の広告宣伝費

(21)　国外の空港に設置した看板の広告宣伝費

(22)　従業員宿舎とするためのマンションの借上料（期間2年）

(23)　為替差損

(24)　役員に支給した交際費で使途が不明なもの

(25)　従業員の健康診断費用

(26)　自社の商品を海外へ輸送するための国際航空運賃

(27)　飲食店業を営む個人事業者が業務用に購入した冷蔵庫の購入費用

(28)　飲食店業を営む個人事業者が家庭用に購入した冷蔵庫の購入費用

(29)　クレジットカード会社へ支払った加盟店手数料

(30)　クレジットカードの年会費

(31)　国内の証券会社に支払った国内上場株式の売却手数料

問題 3　仕入税額控除の理論　　　　　基本　5分

問1　課税仕入れ等について、以下の文章の空欄を埋めなさい。

(1)　課税仕入れの意義

　　　事業者が、事業として他の者から資産を（　①　）、若しくは（　②　）又は役務
　の提供を受けることをいう。ただし、役務の提供のうち（　③　）を対価とするも
　のを除く。

(2)　課税貨物の意義

　　　保税地域から引き取られる（　④　）のうち、輸入取引の非課税の規定により
　（　⑤　）とされるもの以外のものをいう。

問2　次の課税仕入れ等について、課税仕入れ等の日がいつとなるのかを答えなさい。

(1)　国内において資産を譲り受けた場合

(2)　保税地域から引き取る課税貨物について一般申告を行った場合

(3)　国内において役務の提供を受けた場合

(4)　保税地域から引き取る課税貨物について特例申告を行った場合

問題 4　控除対象仕入税額の計算（全額控除の場合）(1)　基本　5分

　次の【資料】に基づき、当社の当課税期間（令和7年4月1日〜令和8年3月31日）の
控除対象仕入税額を答案用紙に従い積上げ計算の方法により計算しなさい。なお、当社の
当課税期間における課税売上割合は98%、課税売上高（税抜）は300,000,000円である。

【資料】

(1)　当社が受領した適格請求書の記載事項

① 標準税率適用課税仕入れの合計額　　　　　　62,500,000円

② ①に係る消費税額及び地方消費税額の合計額　　5,681,810円

③ 軽減税率適用課税仕入れの合計額　　　　　　58,000,000円

④ ③に係る消費税額及び地方消費税額の合計額　　4,296,290円

(2)　当課税期間中に保税地域から引き取った標準税率適用課税貨物について国に納付し
　た消費税額等1,452,900円（消費税額1,133,400円、地方消費税額319,500円）

問題 5　控除対象仕入税額の計算（全額控除の場合）⑵　基本　10分

　次の【資料】に基づき、当社の当課税期間（令和 7 年 4 月 1 日〜令和 8 年 3 月 31 日）の控除対象仕入税額を答案用紙に従い割戻し計算の方法により計算しなさい。なお、当社の当課税期間における課税売上割合は 98%、課税売上高（税抜）は 350,000,000 円である。

【資料】

⑴　当社は経理方式として税込経理方式を採用している。

⑵　取引等は、特に断りのある場合を除き、国内において行われたものである。

⑶　当課税期間の支出に関する資料

　① 当期商品（家具）仕入高　　　　　　　　　　　　　169,977,000 円

　　　なお、上記金額には、輸入した商品に係る金額 49,377,000 円（うち、消費税額 3,571,300 円、地方消費税額 1,007,200 円）が含まれている。それ以外はすべて国内における課税仕入れに該当する。

　② 給料・賃金　　　　　　　　　　　　　　　　　　　86,400,000 円

　　　上記金額には、従業員の通勤手当 1,950,000 円（通常必要と認められる金額。）が含まれている。

　③ 広告宣伝費　　　　　　　　　　　　　　　　　　　9,170,000 円

　　　上記の広告宣伝費はすべて国内取引に該当するものである。

　④ 支払家賃　　　　　　　　　　　　　　　　　　　　4,820,000 円

　　　上記の支払家賃はすべて本社事務所の賃借料である。

　⑤ 支払保険料　　　　　　　　　　　　　　　　　　　3,690,000 円

　⑥ 支払運賃　　　　　　　　　　　　　　　　　　　　5,140,000 円

　　　上記の支払運賃のうち 1,200,000 円は国際運輸に係るものである。

　⑦ 水道光熱費　　　　　　　　　　　　　　　　　　　8,230,000 円

　⑧ 租税公課　　　　　　　　　　　　　　　　　　　　3,150,000 円

　⑨ 支払地代（期間 1 年）　　　　　　　　　　　　　　4,000,000 円

　⑩ 当課税期間に取得したコンピューターの購入費用　　 2,900,000 円

　⑪ 当課税期間に取得した土地の購入費用　　　　　　　 8,000,000 円

　⑫ 翌課税期間に仕入れる予定の商品の前渡金　　　　　　 620,000 円

問 題 6 　**課税売上割合の計算(1)**　　　　　　　　基本　15分

問1　A社の当課税期間（令和7年4月1日～令和8年3月31日）における課税売上割合を次の【資料】により求め、按分計算の必要の有無を判定しなさい。なお、A社は税込経理方式により経理を行っており、消費税が課されるものについては、消費税を含んだ金額で示している。また、計算により求めた課税売上割合を％表示にする必要はない。

【資料】

(1)　商品売上高（国内課税売上高）　　　　　79,800,000 円

　　　商品売上高（輸出免税売上高）　　　　　15,545,455 円

(2)　株式売却額　　　　　　　　　　　　　　 8,000,000 円

(3)　建物売却額　　　　　　　　　　　　　　 2,100,000 円

(4)　土地売却額　　　　　　　　　　　　　　29,600,000 円

(5)　当課税期間軽減税率の適用される取引はなく、課税売上げの返還等はなかったものとする。

問2　B社の当課税期間（令和7年4月1日～令和8年3月31日）における課税売上割合を次の【資料】により求め、按分計算の必要の有無を判定しなさい。なお、B社は税込経理方式により経理を行っており、消費税が課されるものについては、消費税を含んだ金額で示している。また、計算により求めた課税売上割合を％表示にする必要はない。

【資料】

(1)　国内商品売上高　　　　　　　　　　　 299,250,000 円

　　　この売上高に係る対価の返還等が 2,110,000 円ある。

(2)　輸出免税売上高　　　　　　　　　　　　95,554,545 円

(3)　有価証券売却収入　　　　　　　　　　　60,000,000 円

(4)　受取利息　　　　　　　　　　　　　　　　 500,000 円

(5)　受取配当金　　　　　　　　　　　　　　　 800,000 円

(6)　保険金収入　　　　　　　　　　　　　　30,000,000 円

(7)　建物売却収入　　　　　　　　　　　　　15,750,000 円

(8)　土地の売却収入　　　　　　　　　　　　16,500,000 円

(9)　当課税期間軽減税率の適用される取引はない。

問3　C社の当課税期間（令和7年4月1日～令和8年3月31日）における課税売上割合を次の【資料】により求め、按分計算の必要の有無を判定しなさい。なお、C社は税込経理方式により経理を行っており、消費税が課されるものについては、消費税を含んだ金額で示している。また、計算により求めた課税売上割合を％表示にする必要はない。

【資料】

(1) 国内商品売上高　　　　　　　　　　　　　591,000,000 円

　　この売上高に係る対価の返還等が 3,160,000 円ある。

(2) 輸出免税売上高　　　　　　　　　　　　　82,000,000 円

　　この売上高に係る対価の返還等が 1,250,000 円ある。

(3) 有価証券売却収入　　　　　　　　　　　　6,000,000 円

(4) 受取利息　　　　　　　　　　　　　　　　200,000 円

(5) 受取配当金　　　　　　　　　　　　　　　500,000 円

(6) 保険金収入　　　　　　　　　　　　　　14,000,000 円

(7) 建物売却収入　　　　　　　　　　　　　15,210,000 円

(8) 当課税期間軽減税率の適用される取引はない。

問題 7　課税売上割合の計算(2)　　　　　　　　　　　応用　10分

　ＮＳ物産株式会社（以下「ＮＳ社」という。）の当課税期間（令和7年4月1日～令和8年3月31日）における課税売上割合を次の【資料】により求め、按分計算の必要の有無を判定しなさい。なお、ＮＳ社は税込経理方式により経理を行っており、消費税が課されるものについては、消費税を含んだ金額で示している。また、特段の指示がないものについては、すべて国内において行われものとする。

　解答にあたって、計算により求めた課税売上割合を％表示する必要はない。

【資料】

　当課税期間の収入に関する事項は以下のとおりであり、軽減税率が適用されるものは含まれていない。

(1)	製品（課税資産）の国内売上高	237,145,500 円
(2)	製品（課税資産）の輸出売上高	107,000,000 円
(3)	売上げに係る対価の返還等（当課税期間の売上げに係るもの）	2,295,500 円

　　　　内訳は、次のとおりである。

①	国内売上高に係るもの	1,795,500 円
②	輸出売上高に係るもの	500,000 円
(4)	受取配当金	5,720,000 円
(5)	Ａ社社債の売却収入	60,000,000 円
(6)	イギリスに所有する土地の売却収入	91,000,000 円
(7)	貸付金に係る利息	3,650,000 円
(8)	居住用賃貸マンションの貸付けによる家賃収入	41,000,000 円
(9)	居住用賃貸マンション（建物部分）の売却による収入	82,950,000 円
(10)	東京に所有する土地付建物の売却収入	80,000,000 円

　　　　上記の売却した土地と建物の時価の比は7：3である。

(11)	ゴルフ場利用株式の売却収入	9,030,000 円
(12)	公社債投資信託の収益分配金	5,250,000 円

問題 8　課税仕入れの区分(1)　　　　　基本　7分

　次に掲げる課税仕入れについて、課税資産の譲渡等にのみ要するものにはＡ、その他の資産の譲渡等にのみ要するものにはＢ、共通して要するものにはＣの記号を記入しなさい。なお、特に指示がない限り取り扱う商品等は課税資産とし、取引等は国内において行われているものとする。

(1)　商品の仕入代金

(2)　製品の製造に必要な材料の仕入代金

(3)　(2)の材料の運搬費

(4)　輸出用製品の製造に必要な材料の仕入代金

(5)　輸出用製品を国内の工場から国内の港まで輸送するための運搬費

(6)　土地の売却にあたって不動産業者へ支払った仲介手数料

(7)　本社事務所の賃借料

(8)　新製品の広告宣伝費

(9)　当社の知名度向上のための看板設置費用

(10)　株式売却手数料

(11)　従業員から賃貸料を徴収している社宅の修繕費用

(12)　新株の発行に伴って証券会社へ支払った手数料

(13)　製品製造用の材料倉庫の建設費用

(14)　車いす（身体障害者用物品）の製造に必要な材料の仕入代金

(15)　(14)の材料の運搬費

(16)　車いす（身体障害者用物品）製造専用設備の購入代金

(17)　不動産業者が居住用賃貸マンションの入居者募集のために支出する広告宣伝費

(18)　廃棄処分することとなった商品の仕入代金

(19)　新製品の販売促進のための国内出張旅費

(20)　新製品製造のための工場用地の造成費用

(21)　不動産業者が賃貸用の居住用住宅を建設するために行った土地の造成費用

(22)　税理士報酬

(23)　本社に係る水道光熱費

(24)　国内の事業者に支払った海外向け商品販売専用のインターネットホームページのメンテナンス料

問題9　課税仕入れの区分⑵　　　　　応用　3分

　次の【資料】に基づき、答案用紙の各区分における課税仕入れに係る支払対価の額を計算しなさい。（該当する金額がない区分については0を記入しなさい。）

　なお、当社は消費税等の会計処理方法として税抜経理方式を採用している。

【資料】

　　当課税期間の損益計算書に計上されている修繕費 306,819 円（仮払消費税等 30,681 円）は、大型トラックが当社の店頭で事故を起し、損害を受けた販売用車両（棚卸資産）を自己において修理し、その支払った修理の費用であるが、加害者の自動車保険会社から損害賠償金として 1,500,000 円を受け取ったことからこれを控除した差額を計上したものである。

（平成 21 年本試験問題　改題）

問題10　課税仕入れの区分⑶　　　　　応用　5分

　次の【資料】に基づき、答案用紙の各区分における課税仕入れに係る支払対価の額を計算しなさい。（該当する金額がない区分については0を付しなさい。）

　なお、当社が扱っている商品は課税商品である。また、特に断りがある場合を除き、取引は国内において行われているものとする。

【資料】

　　当課税期間の損益計算書に計上されている支払手数料の内訳は、次のとおりである。

⑴　外国為替手数料　　　　　　　　　　　　　　　　　545,454 円

⑵　国外への外貨送金手数料　　　　　　　　　　　　　 30,000 円

⑶　商品の宅配業者へ支払った代金引換手数料　　　　　872,927 円

⑷　クレジットカード会社へ支払った加盟店手数料　　　417,597 円

（平成 19 年本試験問題　改題）

問題11 個別対応方式による税額計算(1)　　　基本　5分

次の【資料】に基づき当課税期間（令和7年4月1日〜令和8年3月31日）の個別対応方式による控除対象仕入税額を積上げ計算の方法により計算しなさい。なお、当社の当課税期間における課税売上割合は52%である。

【資料】

(1) 当社が受領した適格請求書の記載事項

① 標準税率が適用される課税資産の譲渡等にのみ要する課税仕入れの合計額

12,260,000 円

② ①に係る消費税額及び地方消費税額の合計額　　　1,114,545 円

③ 標準税率が適用されるその他の資産の譲渡等にのみ要する課税仕入れの合計額

2,200,000 円

④ ③に係る消費税額及び地方消費税額の合計額　　　200,000 円

⑤ 標準税率が適用される課税資産の譲渡等とその他の資産の譲渡等に共通して要する課税仕入れの合計額　　　7,140,000 円

⑥ ⑤に係る消費税額及び地方消費税額の合計額　　　649,090 円

問題12 個別対応方式による税額計算(2)　　　基本　5分

次の【資料】に基づき当課税期間（令和7年4月1日〜令和8年3月31日）の個別対応方式による控除対象仕入税額を割戻し計算の方法により計算しなさい。なお、当社の当課税期間における課税売上割合は52%である。また、軽減税率が適用される取引は含まれていない。

【資料】

当社の課税仕入高は 21,600,000 円であった。その内訳は、次のとおりである。

(1) 課税資産の譲渡等にのみ要するもの　　　12,260,000 円

(2) その他の資産の譲渡等にのみ要するもの　　　2,200,000 円

(3) 共通して要するもの　　　7,140,000 円

問題13 仕入税額控除の応用理論 ｜応用｜10分

　消費税法第30条第2項第1号（仕入れに係る消費税額の控除）に規定する個別対応方式により仕入れに係る消費税額の計算を行う場合における「国外に所在する土地を譲渡するために国内において行った課税仕入れ」の取扱いを述べなさい。

（平成17年本試験問題　改題）

問題14 一括比例配分方式による税額計算(1) ｜応用｜3分

　次の【資料】に基づき当課税期間（令和7年4月1日～令和8年3月31日）の一括比例配分方式による控除対象仕入税額を積上げ計算の方法により計算しなさい。なお、当社の当課税期間における課税売上割合は52%である。

【資料】

(1)　当社が受領した適格請求書の記載事項

　①　標準税率適用課税仕入れの合計額　　　　　　21,600,000 円

　②　①に係る消費税額及び地方消費税額の合計額　　1,963,636 円

問題15 一括比例配分方式による税額計算(2) ｜応用｜7分

　次の【資料】に基づき当課税期間（令和7年4月1日～令和8年3月31日）の一括比例配分方式による控除対象仕入税額を割戻し計算の方法により計算しなさい。なお、当社の当課税期間における課税売上割合は52%である。また、軽減税率が適用される取引は含まれていない。

【資料】

　　当社の課税仕入高は21,600,000円であった。その内訳は、次のとおりである。

(1)　課税資産の譲渡等にのみ要するもの　　　　12,260,000 円

(2)　その他の資産の譲渡等にのみ要するもの　　 2,200,000 円

(3)　共通して要するもの　　　　　　　　　　　 7,140,000 円

問題16　個別・一括の有利判定⑴　　　　　基本　15分

　次の【資料】に基づき当社の当課税期間（令和7年4月1日～令和8年3月31日）における控除対象仕入税額を割戻し計算の方法により計算しなさい。なお、計算に当たっては、以下の事項に留意すること。

⑴　当社は、税込経理方式を採用している。

⑵　課税仕入れ等の税額の控除に係る帳簿及び請求書等は、法令に従って保存されている。

⑶　取引等は、特に断りがある場合を除き国内において行われたものである。

⑷　計算にあたって適用される計算方法が2以上あるものについては、それぞれの計算結果を示し、納付税額が最も少なくなる方法を採用するものとする。

⑸　当社は設立以来課税事業者であり、当課税期間も課税事業者に該当する。

⑹　軽減税率が適用される取引は含まれていない。

【資料】

⑴　当課税期間の売上げに関する事項

　①　課税売上高（税抜）　　　　　　　　　　　　　　　　　　286,000,000 円

　　　上記金額はすべて下記⑵①の商品の売上高である。

　②　非課税売上高　　　　　　　　　　　　　　　　　　　　　31,000,000 円

⑵　当課税期間の支出に関する事項

　①　商品仕入高　　　　　　　　　　　　　　　　　　　　　131,540,000 円

　　　上記金額には、当課税期間に輸入した商品に係るものが 64,800,000 円含まれており、それ以外は国内における課税仕入れに該当する。なお、64,800,000 円には、輸入の際税関に納付した消費税額 4,640,400 円及び地方消費税額 1,308,800 円が含まれている。

　②　商品荷造運送費　　　　　　　　　　　　　　　　　　　　9,716,000 円

　　　上記金額には、運送貨物に係る保険料 853,000 円が含まれている。保険料以外はすべて課税資産の譲渡等にのみ要する課税仕入れである。

　③　支払手数料　　　　　　　　　　　　　　　　　　　　　　　470,000 円

　　　上記金額の内訳は、次のとおりである。

　　イ　商品販売のために支払った仲介手数料　　　271,000 円

　　ロ　土地売却のために支払った仲介手数料　　　199,000 円

　④　本社事務所の賃借料　　　　　　　　　　　　　　　　　　3,900,000 円

　⑤　商品保管用倉庫の賃借料　　　　　　　　　　　　　　　　2,748,000 円

　⑥　その他の販売費及び一般管理費　　　　　　　　　　　　 72,620,000 円

　　　上記金額はすべて課税仕入れに該当するものであり、課税資産の譲渡等とその他の資産の譲渡等に共通して要する課税仕入れに該当するものである。

　⑦　株式の購入費用　　　　　　　　　　　　　　　　　　　　8,034,000 円

　　　上記金額には、株式購入にあたって証券会社へ支払った購入手数料 34,000 円が含まれている。

問題17　個別・一括の有利判定⑵　　　　　　　応用　20分

　衣料品の卸売業を営む株式会社甲社（以下「甲社」という。）の当課税期間（令和7年4月1日～令和8年3月31日）に関連する取引の状況は【資料】のとおりであった。これに基づき当課税期間における納付すべき消費税額を計算過程を示して求めなさい。なお、計算にあたっては、次の事項を前提とすること。

⑴　甲社は税込経理方式により経理を行っている。なお、課税仕入れ等については帳簿及び請求書等が適切に保存されている。また、課税仕入れ等の区分は正しく行われているものとする。

⑵　取引等は、特に断りのある場合を除き、国内において行われたものである。

⑶　計算にあたって消費税法の規定に基づき適用される計算方法が2以上ある事項については、それぞれの計算方法による計算結果を示し、納付税額が最も少なくなる方法を採用するものとする。

⑷　甲社は設立以来課税事業者であり、当課税期間も課税事業者に該当する。

⑸　課税標準額に対する消費税額及び控除対象仕入税額は割戻し計算の方法による。

【資料】

　⑴　当課税期間の収入に関する事項

　　①　衣料品（以下「商品」という。）の売上高　　　　　　　255,800,000 円

　　　　上記金額のうち 21,650,000 円は輸出売上高である。

　　②　受取利息　　　　　　　　　　　　　　　　　　　　　　900,000 円

　　③　社宅使用料収入　　　　　　　　　　　　　　　　　　12,550,000 円

　　④　什器備品売却収入　　　　　　　　　　　　　　　　　 1,100,000 円

　　⑤　株式売却収入　　　　　　　　　　　　　　　　　　 100,000,000 円

　⑵　当課税期間の支出に関する事項

　　①　商品仕入高　　　　　　　　　　　　　　　　　　　 126,845,000 円

　　　　上記金額のうち 29,160,000 円は輸入仕入高（消費税 2,088,300 円、地方消費税額 589,000 円を含む。）である。

　　　　また、仕入れた商品の一部（仕入価額 250,000 円、販売価額 420,000 円）を甲社の役員へ贈与している。

　　②　給料手当　　　　　　　　　　　　　　　　　　　　 39,150,000 円

　　　　上記金額には、従業員の通勤手当 1,930,000 円が含まれている。

　　③　株式売却手数料　　　　　　　　　　　　　　　　　　　 40,000 円

　　④　商品荷造運搬費　　　　　　　　　　　　　　　　　 5,640,000 円

⑤　支払保険料　　　　　　　　　　　　　　　　　　3,820,000 円

　　上記金額のうち 1,120,000 円は社宅に係る火災保険料である。

⑥　修繕費用　　　　　　　　　　　　　　　　　　　7,930,000 円

　　上記金額のうち 3,850,000 円は社宅に係る修繕費用であり、残額は本社建物に係る修繕費用である。

⑦　法人税、住民税及び事業税の納付額　　　　　　 15,850,000 円

⑧　商品保管用倉庫の賃借料　　　　　　　　　　　 35,000,000 円

⑨　その他の課税仕入れ　　　　　　　　　　　　　 24,645,000 円

⑩　上記の②及び⑨のうち課税仕入れとなるものについては、課税資産の譲渡等とその他の資産の譲渡等に共通して要する課税仕入れに該当するものとする。

問題18　軽減税率がある場合(1)　　　　　基本　10分

　次の【資料】に基づき当課税期間（令和7年4月1日〜令和8年3月31日）の控除対象仕入税額を積上げ計算の方法により計算しなさい。なお、当社の当課税期間における課税売上割合は52％である。

【資料】

(1)　当社が受領した適格請求書の記載事項

①　標準税率が適用される課税資産の譲渡等にのみ要する課税仕入れの合計額

15,079,800 円

②　①に係る消費税額及び地方消費税額の合計額　　　1,370,890 円

③　軽減税率が適用される課税資産の譲渡等にのみ要する課税仕入れの合計額

3,310,200 円

④　③に係る消費税額及び地方消費税額の合計額　　　245,200 円

⑤　標準税率が適用されるその他の資産の譲渡等にのみ要する課税仕入れの合計額

3,300,000 円

⑥　⑤に係る消費税額及び地方消費税額の合計額　　　300,000 円

⑦　標準税率が適用される課税資産の譲渡等とその他の資産の譲渡等に共通して要する課税仕入れの合計額　　　8,782,200 円

⑧　⑦に係る消費税額及び地方消費税額の合計額　　　798,381 円

⑨　軽減税率が適用される課税資産の譲渡等とその他の資産の譲渡等に共通して要する課税仕入れの合計額　　　1,927,800 円

⑩　⑨に係る消費税額及び地方消費税額の合計額　　　142,800 円

問題19　軽減税率がある場合⑵　　　　　　　　　　　基本　7分

　次の【資料】に基づき当課税期間（令和7年4月1日～令和8年3月31日）の控除対象仕入税額を割戻し計算の方法により計算しなさい。なお、当社の当課税期間における課税売上割合は52%である。

【資料】

　　当社の課税仕入高は 32,400,000 円であった。その内訳は、次のとおりである。

⑴　課税資産の譲渡等にのみ要するもの　　　　　　18,390,000 円

　　上記金額のうち 3,310,200 円は軽減税率が適用されるものである。

⑵　その他の資産の譲渡等にのみ要するもの　　　　3,300,000 円

⑶　共通して要するもの　　　　　　　　　　　　　10,710,000 円

　　上記金額のうち 1,927,800 円は軽減税率が適用されるものである。

問題20　軽減税率がある場合⑶　　　　　　　　　　　応用　20分

　事務用品の小売業を営む株式会社甲社（以下「甲社」という。）の当課税期間（令和7年4月1日～令和8年3月31日）に関連する取引の状況は【資料】のとおりであった。これに基づき当課税期間における納付すべき消費税額を計算過程を示して求めなさい。なお、計算にあたっては、次の事項を前提とすること。

⑴　甲社は税込経理方式により経理を行っている。なお、課税仕入れ等については帳簿及び請求書等が適切に保存されている。また、課税仕入れ等の区分は正しく行われているものとする。

⑵　取引等は、特に断りのある場合を除き、国内において行われたものである。

⑶　計算にあたって消費税法の規定に基づき適用される計算方法が2以上ある事項については、それぞれの計算方法による計算結果を示し、納付税額が最も少なくなる方法を採用するものとする。

⑷　甲社は設立以来課税事業者であり、当課税期間も課税事業者に該当する。

⑸　課税標準額に対する消費税額及び控除対象仕入税額は割戻し計算の方法による。

【資料】

(1) 当課税期間の収入に関する事項

① 事務用品（以下「商品」という。）の国内売上高　　　204,640,000 円
② 受取利息　　　　　　　　　　　　　　　　　　　　　　200,000 円
③ 社宅使用料収入　　　　　　　　　　　　　　　　　6,550,000 円
④ 什器備品売却収入　　　　　　　　　　　　　　　　　350,000 円
⑤ 株式売却収入　　　　　　　　　　　　　　　　　80,000,000 円

(2) 当課税期間の支出に関する事項

① 商品仕入高　　　　　　　　　　　　　　　　　122,784,000 円
② 給料手当　　　　　　　　　　　　　　　　　　26,350,000 円

上記金額には、従業員の通勤手当 1,752,000 円が含まれている。

③ 株式売却手数料　　　　　　　　　　　　　　　2,400,000 円
④ 商品荷造運搬費　　　　　　　　　　　　　　　　640,000 円
⑤ 商品販売店舗の従業員に支給した弁当（食品表示法に規定する食品に該当するもの）の購入代金　　　　　　　　　　　　　　　　220,000 円
⑥ 修繕費用　　　　　　　　　　　　　　　　　1,630,000 円

上記金額のうち 1,350,000 円は社宅に係る修繕費用であり、残額は商品運搬用車両に係る修繕費用である。

⑦ 商品保管用倉庫の賃借料　　　　　　　　　　5,760,000 円
⑧ その他の課税仕入れ　　　　　　　　　　　　4,742,000 円

上記金額のうち 86,400 円は定期購読している日刊新聞の購読料であり、残額はすべて課税仕入れに該当するものとする。

⑨ 上記の②及び⑧のうち課税仕入れとなるものについては、課税資産の譲渡等とその他の資産の譲渡等に共通して要する課税仕入れに該当するものとする。

理論　　　　　　　　　　　　　　　　　答案用紙： 49頁　解答解説： 7-29頁

問題21　仕入れに係る消費税額の控除の理論　　基本　3分

次の文章の空欄を埋めなさい。ただし、特定課税仕入れについては触れる必要はないものとする。

事業者（免税事業者を除く。）が、国内において行う課税仕入れ又は保税地域から引き取る課税貨物については、（　①　）又は（　②　）の属する課税期間の課税標準額に対する消費税額から、その課税期間中に国内において行った（　③　）、及びその課税期間中における保税地域からの引取りに係る課税貨物につき（　④　）又は（　⑤　）消費税額の合計額を控除する。

問題22　課税売上割合に準ずる割合　　　　　　　　応用　7分

次の【資料】に基づき、当課税期間（令和7年4月1日～令和8年3月31日）における
控除対象仕入税額を割戻し計算の方法により計算しなさい。なお、軽減税率が適用される
ものはない。

【資料】

⑴　当課税期間における課税売上割合は 65% である。なお、水道光熱費の計算にあたっ
　て課税売上割合に準ずる割合として、従業員数により計算することについて納税地の
　所轄税務署長の承認を受けている。

⑵　当社の課税仕入高は 86,460,000 円であり、その内訳は、次のとおりである。

　①　課税資産の譲渡等にのみ要するもの　　　　49,810,000 円

　②　その他の資産の譲渡等にのみ要するもの　　 7,150,000 円

　③　共通して要するもの　　　　　　　　　　　29,500,000 円

　　水道光熱費 2,400,000 円とその他の費用 27,100,000 円の合計額である。

⑶　当社の従業員数は以下のとおりである。

　①　課税売上げ部門　　　　　　　　150 人

　②　非課税売上げ部門　　　　　　　 50 人

⑷　計算にあたって適用される計算方法が 2 以上あるものについては、それぞれの計算
　結果を示し、納付税額が最も少なくなる方法を採用するものとする。なお、当社は税
　込経理方式を採用している。

問題23　課税売上割合の理論　　　　　　　　　　　基本　3分

課税売上割合と控除対象仕入税額の計算について、次の文章の空欄を埋めなさい。

⑴　一括比例配分方式の変更制限

　　一括比例配分方式により計算することとした事業者は、その方法により計算すること
　とした課税期間の初日から（　①　）を経過する日までの間に（　②　）各課税期間に
　おいてその方法を継続して適用した後の課税期間でなければ、個別対応方式により計算
　することはできない。

⑵　個別対応方式における課税売上割合に準ずる割合の適用

　　個別対応方式による場合において、課税売上割合に準ずる割合で次の要件のすべてを満たすときは、(b)の承認を受けた日の属する課税期間以後の課税期間については、個別対応方式の課税資産の譲渡等とその他の資産の譲渡等に共通して要する課税仕入れ等の税額の合計額に課税売上割合を乗じて計算した金額は課税売上割合に代えて、その割合を用いて計算した金額とする。

　　ただし、課税売上割合に準ずる割合の不適用届出書を提出した日の属する課税期間以後の課税期間については、この限りではない。

(a)　事業者の営む事業の種類又はその事業に係る費用の種類に応じ（　③　）に算定される割合であること

(b)　納税地の（　④　）を受けたものであること

理論　　　　　　　　　　　　　　　　　答案用紙：　51頁　解答解説：　7-31頁

| 問題24 | 帳簿等の保存の理論 | | 基本 | 5分 |

帳簿等の保存について、以下の問に答えなさい。

問1　次の文章の空欄を埋めなさい。ただし、特定課税仕入れについては触れる必要はないものとする。

⑴　帳簿等の保存

　　仕入れに係る消費税額の控除の規定は、事業者がその課税期間の課税仕入れ等の税額の控除に係る（　①　）及び（　②　）（※1）を保存しない場合には、その保存がない部分に係る課税仕入れ等の税額については、適用しない。

　　ただし、災害その他やむを得ない事情によりその保存をすることができなかったことを証明した場合は、この限りでない。

（※1）　次のいずれかの場合には帳簿

(a)　請求書等の交付を受けることが（　③　）場合

(b)　その他一定の場合

⑵　保存期間

　　仕入れに係る消費税額の控除の規定の適用を受けようとする事業者は、帳簿及び請求書等を整理し、その帳簿についてはその（　④　）、その請求書等についてはその（　⑤　）の属する課税期間の末日の翌日から（　⑥　）を経過した日から7年間、納税地又は事務所等の所在地に保存しなければならない。

　　なお、上記翌日から2月を経過した日から5年を経過した日以後は、帳簿又は請求書等のいずれかによることができる。

問2　課税仕入れについて帳簿に記載しておかなければならない事項を4つあげなさい。

問題25　輸出販売と税額控除　　　　　　　　応用　20分

　下記の各取引におけるＡ社の消費税法の適用関係を答案用紙に従って述べなさい。なお、消費税法の適用を受けるに当たって必要な要件がある場合には、その要件についても記載しなさい。

（注）　消費税法上の仕入税額控除に関する規定及び消費税法施行規則第5条に定める証明事項としての記載事項に係る規定については触れる必要はない。

　国内に本店を有するＡ社は、非居住者である外国法人Ｘ社から金型製造の注文を受け、これを国内の下請会社であるＢ社に製造を発注した。その後、当該金型の完成品をＢ社から納品を受けたＡ社は自らの名義でＸ社に向けに輸出して販売した。

　また、Ａ社は当該金型の輸出に際して、航空貨物として輸出することとした。そこで、運送会社Ｃ社に対し貨物の積み込み場所である保税地域への搬入までを依頼し、運送料100,000円を支払った。保税地域への搬入後輸出業者Ｄ社に対し、所轄税関長へ輸出申告と輸出許可を受けた後の貨物の運送・積み込み作業を依頼し、輸出申告手数料と運送積み込み料の合計額105,900円を支払っている。

（平成23年本試験問題　改題）

······· *Memorandum Sheet* ·······

Chapter 8

売上げに係る対価の
返還等Ⅱ

計算

問 題 1 売上げに係る対価の返還等(1) | 基本 | 7分

　次の【資料】に基づいて当課税期間（令和7年4月1日～令和8年3月31日）の納付すべき消費税額を計算過程を示して求めなさい。なお、当社は当課税期間まで継続して課税事業者であり、税込経理しているものと、当課税期間の課税売上割合は95%以上で課税仕入れ等の税額は全額控除できるものとする。また、課税標準額に対する消費税額及び控除対象仕入税額は割戻し計算の方法によるものとする。

【資料】

(1)　売上高　　　　　　　　　　　　　　　　　　　　　　　　500,000,000 円

　　　内訳は、以下のとおりである。

　①　国内の取引先に対する課税売上高　　　420,000,000 円

　②　国外の取引先に対する輸出売上高　　　 80,000,000 円

(2)　売上値引戻り高（当課税期間の売上げに係るものである。）　　 400,000 円

　　　内訳は、以下のとおりである。

　①　国内の取引先に対する課税売上高に係るもの　　210,000 円

　②　国外の取引先に対する輸出売上高に係るもの　　190,000 円

(3)　当期商品仕入高　　　　　　　　　　　　　　　　　　　315,000,000 円

(4)　中間納付税額　　　　　　　　　　　　　　　　　　　　 1,900,000 円

(5)　軽減税率が適用される取引は含まれていない。

問題 2 　売上げに係る対価の返還等(2)　　　基本 ｜ 5分

　次の【資料】により、当課税期間（令和 7 年 4 月 1 日〜令和 8 年 3 月 31 日）の売上げの返還等対価に係る税額を求めなさい。なお、当社は当課税期間まで継続して課税事業者であり、金額は税込みである。

【資料】

　損益計算書に記載された科目及びその内容は次のとおりである。

⑴　売上返品高　　　　　　　　　　2,354,400 円

　　売上返品高の内訳は、次のとおりである。

　①　令和 6 年 4 月 1 日〜令和 7 年 3 月 31 日までの課税期間の商品売上げに係るもの

　　　　　　　　　　　　　　　　　　　　　　　　　　　　　1,058,400 円

　②　令和 7 年 4 月 1 日〜令和 8 年 3 月 31 日までの課税期間の商品売上げに係るもの

　　　　　　　　　　　　　　　　　　　　　　　　　　　　　1,296,000 円

⑵　売上割戻し高　　　　　　　　　　617,150 円

　　売上割戻しについては、購入高に応じた売上割戻しの算定基準を契約書により相手方に明示しているので、当課税期間の商品売上高に係る分を計上している。

⑶　売上割引　　　　　　　　　　　3,213,600 円

　　売上割引は、すべて当課税期間中の商品売上高に係る売掛金の早期回収に伴う売掛金の減額高を計上したものである。

⑷　販売奨励金　　　　　　　　　　5,400,000 円

　　販売奨励金は、当課税期間の売上げに係る販売促進目的で取引先に対して金銭を支出したものである。

⑸　その他

　　当社は当課税期間まで継続して課税事業者であり、税込経理方式を採用している。また、商品売上高は、非課税取引及び輸出免税取引に係るものではなく、軽減税率は適用されない。

問題 3　売上げに係る対価の返還等(3)　　　　　　基本　5分

　次の【資料】に基づいて、当課税期間（令和7年4月1日～令和8年3月31日）の課税標準額に対する消費税額から控除すべき売上げの返還等対価に係る消費税額を求めなさい。なお、当社は当課税期間まで継続して課税事業者であり、金額は税込みである。

【資料】

1．当社の当課税期間の損益計算書は、次のとおりである。

損　益　計　算　書　　　　　（単位：円）

I 売　　上　　高	
総　売　上　高	931,250,000
売 上 値 引 戻 り 高	5,250,000
売　上　割　戻　し	3,937,500
⋮	
III 販売費及び一般管理費	
⋮	
販　売　促　進　費	4,200,000
⋮	
V 営　業　外　費　用	
売　　上　　割　　引	630,000
⋮	
VII 特　別　損　失	
固 定 資 産 売 却 損	1,000,000
⋮	

2．損益計算書の内容に関して付記すべき事項は、次のとおりである。

　(1)　売上高は精密機械（以下「商品」という。）の販売金額である。

　(2)　売上値引戻り高の内訳は、以下のとおりである。

　　①　売上値引　　3,150,000 円（すべて当課税期間の国内の課税売上げに係るものである。）

　　②　売上戻り　　2,100,000 円（525,000 円は輸出売上げに係るものである。なお、残額については、当課税期間の国内の課税売上げに係るものである。）

⑶ 売上割戻しは、すべて当課税期間の国内の課税売上げに係るものである。

⑷ 販売促進費は、商品の国内販売店に対して金銭で支払った販売奨励金（当課税期間の課税売上げに係るものである。

⑸ 売上割引は、当課税期間の商品の売掛金に係るものである。

3．その他に当課税期間に行った土地の譲渡に係る値引 210,000 円がある。

計算　　　　　　　　　　　　　　　答案用紙：　55頁　解答解説：　8-4頁

| 問題4 | 売上げに係る対価の返還等⑷ | 応用 | 15分 |

次の【資料】に基づき、衣料品の卸売業を営んでいる当社の当課税期間（令和 7 年 4 月 1 日～令和 8 年 3 月 31 日）における納付すべき消費税額をその計算過程を示して計算しなさい。なお、当社は当課税期間まで継続して課税事業者であり、金額は税込みである。また、課税標準額に対する消費税額及び控除対象仕入税額は割戻し計算の方法による

【資料】

1．当社の当課税期間の損益計算書は、次のとおりである。

損　益　計　算　書　　　　　　　（単位：円）

Ⅰ	売　　　上　　　高		
	総　売　上　高	27,825,000	
	売 上 値 引 戻 り 高	417,375	27,407,625
Ⅱ	売　　上　　原　　価		
	期 首 商 品 棚 卸 高	5,250,000	
	当 期 商 品 仕 入 高	13,650,000	
	合　　　計	18,900,000	
	期 末 商 品 棚 卸 高	2,100,000	16,800,000
	売　上　総　利　益		10,607,625
Ⅲ	販売費及び一般管理費		
	給　　与　　手　　当	4,125,000	
	販　売　促　進　費	262,500	
	その他の販売費及び一般管理費	840,000	5,227,500
	営　　業　　利　　益		5,380,125

Ⅳ 営 業 外 収 益		
受 取 利 息	600,000	
受 取 配 当 金	30,000	
有 価 証 券 売 却 益	450,000	1,080,000
Ⅴ 営 業 外 費 用		
支 払 利 息	40,000	
売 上 割 引	94,500	134,500
経 常 利 益		6,325,625
税 引 前 当 期 純 利 益		6,325,625

2．損益計算書の内容に関して付記すべき事項は、次のとおりである。

(1) 総売上高の内訳は、次のとおりであり、軽減税率が適用されるものではない。

① 国内課税売上高　　　　　　　　　　　18,900,000 円

② 国外への輸出販売売上高　　　　　　　 8,925,000 円

(2) 売上値引戻り（当課税期間の課税売上げに係るもの。）の内訳は、次のとおりである。

① 国内で販売した商品の返品高　　　　　　262,500 円

② 国外への輸出販売売上高に係るもの　　　154,875 円

(3) 当期商品仕入高は、すべて国内課税仕入れに係るものである。

(4) 販売費及び一般管理費

① 給与手当の内訳は、次のとおりである。

イ　従業員の給与　　3,705,000 円（課税仕入れに該当するものは含まれていない。）

ロ　従業員の通勤手当　　420,000 円（通常必要と認められるもの。）

② 販売促進費の内訳は、次のとおりである。

イ　商品の国内販売店に対し金銭で支払った販売奨励金　　157,500 円

上記金額は当課税期間の課税売上げに係るものである。

ロ　商品の販売店の従業員を国内旅行に招待した際の国内旅行費用　　105,000 円

③ その他の販売費及び一般管理費はすべて課税仕入れに該当するものであり、軽減税率が適用されるものは含まれていない。

(5) 受取利息は、国内普通預金の利息である。

(6) 有価証券売却益は、帳簿価額 2,000,000 円の株式を 2,500,000 円で売却し、売却手数料 50,000 円を差し引いた金額である。

(7) 売上割引は、当課税期間の国内課税売上げの売掛金に係るものである。

問題5 | 売上げに係る対価の返還等(5) | 応用 | 5分

　内国法人である当社の以下の取引について売上げの対価の返還等に係る消費税額の控除の適用ができるものを選びなさい。

(1)　課税事業者である当社が、当課税期間に国内の取引先に譲渡した課税資産について割戻しを行った場合

(2)　課税事業者である当社が、免税事業者であった前課税期間に国内の取引先に譲渡した課税資産について当課税期間に返品を受けた場合

(3)　課税事業者である当社が、課税事業者であった前課税期間に国内の取引先に譲渡した課税資産について当課税期間に値引きをした場合

(4)　免税事業者である当社が、課税事業者であった前課税期間に国内の取引先に譲渡した課税資産について当課税期間に返品を受けた場合

(5)　課税事業者である当社が、当課税期間に販売した土地を値引きした場合

問題6 | 売上げに係る対価の返還等(6) | 応用 | 5分

　次の【資料】に基づいて、電気器具を販売する甲社の当課税期間（令和7年4月1日～令和8年3月31日）の課税標準額に対する消費税額から控除する売上げの返還等対価に係る税額を求めなさい。なお、甲社は当課税期間まで継続して課税事業者であり、金額は税込みである。

【資料】

(1)　電気器具販売店舗におけるポイントカードによる値引額　　　　　　　　932,928円

　　　甲社では、販売促進の一環としてポイントカードを顧客に交付し、商品の買い上げ額1,000円につき1ポイントを顧客のカードに記録している。顧客はこのポイントカードにより甲社の商品の購入時に50ポイントごとに1,000円の値引きを受けることができる。

　　(注)　このポイントカードは、1,000円未満の商品の購入であっても値引きを受けることができるが、その場合商品の価格を限度として値引きされ、端数について現金で払戻し又は繰越しはされない。

(2)　特売期間中のキャッシュバックの金額　　　　　　　　　　　　　　　997,000円

　　　甲社はポイントカードとは別に当期に特別セールを実施し、一度に合計20,000円以上の商品を購入した顧客に対し1,000円のキャッシュバックを実施しているが、当課税期間中におけるこのキャッシュバックの合計額である。

（平成15年本試験問題　改題）

問題 7　売上げに係る対価の返還等の理論　　　基本　15分

売上げに係る対価の返還等をした場合について、以下の問に答えなさい。

問1　「売上げに係る対価の返還等をした場合」の意義について述べなさい。

問2　売上げに係る対価の返還等の金額に係る消費税額の控除要件について答案用紙に従って述べなさい。

Chapter 9

貸倒れに係る
消費税額の控除等Ⅱ

問 題 1　貸倒れに係る消費税額の控除⑴　　　基本　5分

　次の【資料】に基づき当社の当課税期間（令和 7 年 4 月 1 日～令和 8 年 3 月 31 日）の貸倒れに係る消費税額を計算しなさい。なお、当社は当課税期間まで継続して課税事業者である。また、与えられた取引はすべて国内取引の要件を満たすものである。

【資料】

　当課税期間に貸倒れた債権額 17,135,000 円の内訳は、次のとおりである。

⑴　当課税期間に行った国内課税売上げ（軽減税率が適用されるものではない。）に係る売掛金　　　　　　　　　　　　　　　　　　　　　　　　　　　　2,625,000 円

⑵　当課税期間に行った輸出免税売上げに係る売掛金　　　　　　　　840,000 円

⑶　前課税期間（令和 6 年 4 月 1 日～令和 7 年 3 月 31 日）に行った上場株式の譲渡に係る未収金　　　　　　　　　　　　　　　　　　　　　　　　　　　3,150,000 円

⑷　前課税期間に貸し付けた貸付金　　　　　　　　　　　　　　　5,250,000 円

⑸　前々課税期間（令和 5 年 4 月 1 日～令和 6 年 3 月 31 日）に譲渡した居住用建物に係る未収金　　　　　　　　　　　　　　　　　　　　　　　　　　　2,120,000 円

⑹　前々課税期間中に譲渡した特許権の未収金　　　　　　　　　　3,150,000 円

問 題 2　貸倒れの範囲　　　応用　7分

　当社は次の各得意先に対して課税資産の譲渡等に係る売掛金及び貸付金を有している。次のような状況にある場合に、当社の当課税期間の消費税の計算上税額控除の対象となる貸倒損失額をそれぞれ答えなさい。

　なお、計上すべき損失額は当社に最も有利となる金額とする。

⑴　A社は、当課税期間において会社更生法の適用を申請し、更生計画認可の決定を受けた。これによりA社に対する売掛金 4,000,000 円、貸付金 2,000,000 円が切り捨てられることとなった。

⑵　B社は、当課税期間において民事再生法の適用を申請した、これにより、B社に対する売掛金のうち 3,000,000 円と貸付金 1,000,000 円が切り捨てられる予定である。なお、再生計画認可の決定は翌課税期間以後となる見込みである。

⑶ C社は債務超過の状態が相当期間継続し、債務の弁済が不可能であると認められる。これを受けて当社は書面によりC社に対する売掛金 2,500,000 円の債務免除を行った。

⑷ D社は財産の状況、支払能力等からみて債務を弁済できないことが明らかであり、D社に対する売掛金 5,000,000 円のうち 4,000,000 円が回収できないと見込まれる。なお、D社に対する債権について担保物はない。

⑸ 継続的な取引を行っていたE社につき、その財産の状況、支払能力等が悪化したため、当社はE社との取引を1年以上停止している。なお、E社に対する債権について担保物があり、未だ処分を行っていない。

⑹ 当社は、仙台に所在するF社、G社を得意先としており、両社に対する課税資産の譲渡等に係る売掛金は次のとおりであった。なお、両社に対し支払いを督促したにもかかわらず弁済がない。

	F 社	G 社
売 掛 金	20,000 円	24,000 円
取 立 費 用	50,000 円	

理論　　　　　　　　　　　　答案用紙： 60頁　解説解説： 9-2頁

問題 3　貸倒れの意義及び税額控除の適用要件　　基本　5分

貸倒れの意義及び貸倒れに係る消費税額の控除の適用要件について述べなさい。

⑴ 貸倒れの意義

⑵ 貸倒れに係る消費税額の控除の適用要件

⑶ 貸倒れに係る消費税額の控除の規定が適用される一定の事実を4つ列挙しなさい。

理論　　　　　　　　　　　　答案用紙： 61頁　解説解説： 9-3頁

問題 4　貸倒れに係る消費税額の控除の理論（1）　　応用　10分

次の事例の場合に内国法人K社は当該事例に係る消費税額相当額について、課税標準額に対する消費税額から控除することができるかどうかその理由を付して述べなさい。

なお、K社は継続して課税事業者に該当する。

K社は、内国法人S社（免税事業者に該当する。）に対して商品販売に係る売掛金 800,000 円を有していたが、S社が再生計画認可の決定を受けたことにより、当該債権の切捨てがあったため、売掛金の回収ができなくなった。

問題 5　貸倒れに係る消費税額の控除の理論 (2)　　応用　10分

　次の事例の場合に課税事業者である甲社は、当該事例に係る消費税額相当額について、当課税期間において課税標準額に対する消費税額から控除することができるかどうかその理由を付して述べなさい。

　なお、控除する場合であっても、その控除する税額を計算する必要はない。

　甲社は、取引先A社に対して課税資産の譲渡等に係る売掛債権 1,650 万円を有しているが、A社は先日（甲社の当課税期間に属する日）、会社更生法の適用を申請した。なお、更生計画認可の決定は甲社の翌課税期間以後となる見込みである。

（平成 12 年本試験問題　改題）

問題 6　控除過大調整税額 (1)　　基本　5分

　次の【資料】に基づき当課税期間（令和 7 年 4 月 1 日～令和 8 年 3 月 31 日）の控除過大調整税額を計算しなさい。なお、当社は当課税期間まで継続して課税事業者である。また、与えられた取引はすべて国内取引の要件を満たすものであり、税込経理している。

【資料】

　当課税期間に回収した債権額 8,085,000 円の内訳は、次のとおりである。

⑴　前課税期間（令和 6 年 4 月 1 日～令和 7 年 3 月 31 日）に貸倒処理していた前々課税期間（令和 5 年 4 月 1 日～令和 6 年 3 月 31 日）の輸出免税売上げに係る売掛金

4,200,000 円

⑵　前課税期間に貸倒処理していた前々課税期間に譲渡した事業用車両に係る未収金

3,140,000 円

⑶　前課税期間に貸倒処理していた前々課税期間の受取利息の未収金　　115,000 円

⑷　前課税期間に貸倒処理していた前々課税期間に係る駐車場施設の賃貸料

630,000 円

問題 7　控除過大調整税額(2)　　　　　　　　　応用　3分

　次の【資料】に基づいて当課税期間（令和7年4月1日〜令和8年3月31日）の控除過大調整税額を計算しなさい。なお、与えられた取引はすべて国内取引の要件を満たすものである。

【資料】

　当社の損益計算書に計上されている償却債権取立益 1,267,000 円の内訳は、次のとおりである。

⑴　前々事業年度（令和5年4月1日から令和6年3月31日まで、課税事業者に該当）に貸倒れ処理した次の債権（いずれも前々々事業年度（令和4年4月1日から令和5年3月31日まで、課税事業者に該当）に生じた債権）に係るもの

　　①　製品（健康増進機器）販売の売掛金に係るもの　　　　　268,000 円

　　②　身体障害者用物品販売の売掛金に係るもの　　　　　　　142,000 円

　　③　従業員貸付金に係るもの　　　　　　　　　　　　　　　340,000 円

⑵　前事業年度（令和6年4月1日から令和7年3月31日まで、免税事業者に該当）に販売した製品の売掛金で、同事業年度に貸倒れ処理したもの　　517,000 円

（平成 16 年本試験問題　改題）

問題 8　貸倒れに係る消費税額の控除⑵　　　基本　15分

　次の【資料】に基づき当課税期間（令和7年4月1日〜令和8年3月31日）の納付税額を求めなさい。なお、当社は当課税期間まで継続して課税事業者であり、金額は税込みである。また、課税標準額に対する消費税額及び控除対象仕入税額は割戻し計算の方法により計算し、課税仕入れ等の税額は全額が控除できるものとする。

【資料】

1．収入に関する事項

⑴　課税売上高（軽減税率が適用されるものではない。）　　68,500,000 円

⑵　貸付金の回収額　　　　　　　　　　　　　　　　　　　　7,350,000 円

⑶　償却債権取立益　　　　　　　　　　　　　　　　　　　　　398,000 円

　　上記金額は前々課税期間（令和5年4月1日から令和6年3月31日）に貸倒れに係る消費税額の控除の規定を受けた同課税期間中に生じた課税売上げに係る売掛金を当課税期間において回収できたことによるものである。

2．支出に関する事項

⑴　課税仕入高（軽減税率が適用されるものではない。）　　40,950,000 円

⑵　売上割戻し（前々課税期間の課税売上げに係るもの）　　　341,250 円

3．その他の事項

⑴　貸倒れ

①　令和6年12月の課税売上げに係る売掛金の貸倒れ　　1,365,000 円

②　令和6年2月に貸し付けた貸付金の一部回収不能に係る貸倒れ

　　　　　　　　　　　　　　　　　　　　　　　　　　　2,650,000 円

⑵　中間納付税額　　　　　　　　　　　　　　　　　　　　　500,000 円

問題 9　貸倒れに係る消費税額の控除(3)　　　応用　15分

　次の【資料】に基づき当課税期間（令和7年4月1日〜令和8年3月31日）の納付税額を求めなさい。なお、当社は当課税期間まで継続して課税事業者であり、金額は税込みである。また、課税標準額に対する消費税額及び控除対象仕入税額は割戻し計算の方法により計算し、課税仕入れ等の税額は全額が控除できるものとする。

【資料】

⑴　当課税期間の損益計算書は、以下のとおりである。

損 益 計 算 書　　　　（単位：円）

期首商品棚卸高	4,800,000	商 品 売 上 高	64,815,000
当期商品仕入高	47,875,000	期末商品棚卸高	4,660,000
売 上 値 引	1,575,000	償却債権取立益	525,000
貸 倒 損 失	1,050,000		
当 期 純 利 益	14,700,000		
	70,000,000		70,000,000

⑵　商品売上高は、仕入商品に係る売上げであり、輸出免税取引に係るものが3,100,000円含まれている。ただし、軽減税率が適用されるもの及び非課税取引に係るものは含まれていない。

⑶　当期商品仕入高は、すべて国内課税仕入れである。

⑷　売上値引は、当課税期間の国内事業者に対する商品売上げに係るものである。

⑸　貸倒損失は、当課税期間の国内事業者に対する商品売上げに係る債権の一部が会社更生法による更生計画認可の決定により切捨てられたものである。

⑹　償却債権取立益の内訳は、次の通りである。

　①　前課税期間（令和6年4月1日〜令和7年3月31日）に貸倒処理した前々課税期間（令和5年4月1日〜令和6年3月31日）に売却した有価証券の売却代金を当課税期間に回収できたことにより計上したもの　　　　　　　　　　209,000円

　②　前々課税期間に貸倒処理した前々々課税期間（令和4年4月1日〜令和5年3月31日）に売却した車両の売却代金を当課税期間に回収できたことにより計上したもの

　　　　　　　　　　　　　　　　　　　　　　　　　　　　　　316,000円

⑺　当課税期間に中間申告した消費税額は245,000円である。

問題10　貸倒れに係る消費税額の控除(4)　　　応用　15分

　次の【資料】に基づき当課税期間（令和7年4月1日〜令和8年3月31日）の納付税額を求めなさい。なお、金額は税込みである。また、当課税期間は課税事業者に該当し、課税標準額に対する消費税額及び控除対象仕入税額は割戻し計算の方法により計算することとし、課税仕入れ等の税額は全額が控除できるものとする。

【資料】

1．収入に関する事項

(1)　課税売上高（軽減税率が適用されるものは含まれていない。）　11,205,000 円

(2)　貸付金の回収額　　　　　　　　　　　　　　　　　　　　　　　60,000 円

(3)　償却債権取立益　　　　　　　　　　　　　　　　　　　　　　　28,000 円

　　　上記金額は、前々課税期間（令和5年4月1日〜令和6年3月31日）の課税売上げに係る売掛金で、前課税期間（令和6年4月1日〜令和7年3月31日）に貸倒れたものを当課税期間において回収できたことにより計上したものである。

2．支出に関する事項

　　課税仕入れ高（軽減税率が適用されるものは含まれていない。）　8,950,000 円

3．その他の事項

(1)　貸倒れ

①　当課税期間の課税売上げに係るもの　　　　　　　　　　　365,000 円

②　前課税期間の課税売上げに係るもの　　　　　　　　　　　 42,000 円

(2)　当社は前々課税期間までは継続して課税事業者であったが、一時的な売上げの減少により前課税期間は免税事業者であった。

Chapter 10

仕入れに係る
対価の返還等Ⅱ

問題 1　仕入れに係る対価の返還等(1)　　　基本　3分

　次の【資料】により、当課税期間（令和7年4月1日〜令和8年3月31日）の控除対象仕入税額を求めなさい。

　なお、当社は前課税期間まで継続して課税事業者であり、金額は税込みである。また、当社の当課税期間の課税売上割合は95%、課税売上高（税抜）は 15,000,000 円、控除対象仕入税額の計算は割戻し計算の方法により、軽減税率が適用される取引は含まれていない。

【資料】

(1)　商品（課税商品）の仕入高　　　　　　　　　　　　　　　8,925,000 円

　　　すべて課税資産の譲渡等にのみ要するものである。

(2)　仕入値引　　　　　　　　　　　　　　　　　　　　　　　262,500 円

　　　当課税期間における(1)の商品の仕入れに係るものである。

(3)　仕入戻し　　　　　　　　　　　　　　　　　　　　　　　52,500 円

　　　前々課税期間（令和5年4月1日〜令和6年3月31日）における(1)の商品の仕入れに係るものである。

(4)　仕入割引　　　　　　　　　　　　　　　　　　　　　　　88,200 円

　　　当課税期間の課税仕入れに係る買掛金を支払期日前に決済したことにより仕入先から支払われたものである。

(5)　販売奨励金　　　　　　　　　　　　　　　　　　　　　　315,000 円

　　　一定以上の販売高を達成したことにより、商品の仕入先から金銭の支払いを受けたものである。なお、315,000 円はすべて当課税期間の課税仕入れに係るものである。

問題 2 仕入れに係る対価の返還等(2) 　　　　基本 15分

次の【資料】により、各問における当課税期間（令和7年4月1日～令和8年3月31日）の控除対象仕入税額を割戻し計算の方法により求めなさい。

なお、当社は前課税期間まで継続して課税事業者であり、金額は税込みである。

【資料】

(1) 課税仕入れ（軽減税率が適用される取引は含まれていない。）

① 課税資産の譲渡等にのみ要する課税仕入れ 　　　　15,750,000 円

② その他の資産の譲渡等にのみ要する課税仕入れ 　　　525,000 円

③ 共通して要する課税仕入れ 　　　　　　　　　　　2,625,000 円

(2) 仕入値引（当課税期間の課税仕入れに係るもの） 　　336,000 円

課税資産の譲渡等にのみ要するもの 189,000 円と共通して要するもの 147,000 円の合計額である。

問1 当課税期間の課税売上割合が 95%、かつ、課税売上高（税抜）が 20,000,000 円である場合

問2 当課税期間の課税売上割合が 80% である場合

問題 3 仕入れに係る対価の返還等(3) 　　　　基本 5分

内国法人である当社の以下の取引のうち、当課税期間（令和7年4月1日～令和8年3月31日）において仕入れに係る対価の返還等に係る消費税額の控除の特例が適用されるものを選びなさい。

(1) 課税事業者である当社が、当課税期間に行った非課税商品の仕入れに係る返還を当課税期間に受けた場合

(2) 課税事業者である当社が、免税事業者であった前課税期間に行った課税商品の仕入れについて当課税期間に返品を行った場合（棚卸資産に係る調整計算は考慮しないものとする。）

(3) 課税事業者である当社が、課税事業者であった前々課税期間に行った課税商品の仕入れについて当課税期間に返品を行った場合

(4) 課税事業者である当社が、輸入商品の仕入れについて、取引先から当課税期間に仕入割戻しを受けた場合

計算　　　　　　　　　　　　　　答案用紙： 70頁　解答解説： 10-5頁

問題 4　仕入れに係る対価の返還等(4)　　応用　5分

次の【資料】に基づき、甲社の当課税期間（令和7年4月1日〜令和8年3月31日）における仕入れに係る対価の返還等の金額を計算しなさい。なお、甲社は当課税期間まで継続して課税事業者であり、金額は税込みである。

【資料】

　甲社の損益計算書に計上されている次の科目の内訳は、以下のとおりである。

1　材料値引及び戻し高（すべて当課税期間の課税仕入れに係るもの）

　甲社は、国外の部品製造委託業者D社及び国内の部品製造委託業者乙社から部品を購入し、製品（課税資産）を製造、販売している。

　なお、国外の部品製造委託業者D社は、国外の材料メーカーE社から部品の材料を仕入れて部品を製造している。

⑴　国外材料メーカーE社からの甲社に対する直接のリベート　　　112,000 円

⑵　国内の部品製造委託業者乙社からの仕入れに係るもの　　　1,371,200 円

2　受取配当金

　F共同組合の共同販売事業に参加したことにより組合員である甲社がその組合から支払いを受けた事業分量配当金（組合が販売する商品を甲社が販売代行したことにより受領したもの）　　　　　　　　　　　　　　　　　　　　　　　9,600 円

（平成16年及び平成18年本試験問題　改題）

理論　　　　　　　　　　　　　　答案用紙： 70頁　解答解説： 10-5頁

問題 5　仕入れに係る対価の返還等の理論　　基本　5分

仕入れに係る対価の返還等の意義を述べなさい。

問題6　仕入れに係る対価の返還等(5)　　　基本　15分

　次の【資料】により、各問における当課税期間（令和7年4月1日〜令和8年3月31日）の控除対象仕入税額を割戻し計算の方法により求めなさい。

　なお、当社は前課税期間まで継続して課税事業者であり、金額は税込みである。

【資料】

(1)　商品（課税商品）仕入高　　　　　　　　　　　　　　　　20,040,000 円

　　　上記金額の内訳は、以下のとおりである。

　①　国内の取引先からの仕入高　　　　　　　16,800,000 円

　②　国外の取引先からの仕入高　　　　　　　 3,240,000 円

　　　なお、この仕入代金には貨物の引取りの際に税関に納付した消費税額 232,000 円
　　　及び地方消費税 65,400 円が含まれている。

(2)　仕入割戻し　　　　　　　　　　　　　　　　　　　　　　 630,000 円

　　　すべて当課税期間において行った上記(1)①の商品の仕入れに係るものである。

(3)　仕入戻し　　　　　　　　　　　　　　　　　　　　　　　 171,600 円

　　　すべて当課税期間において行った上記(1)②の商品の仕入れに係るものである。この
　　　金額には、消費税額 12,200 円及び地方消費税額 3,400 円の還付税額が含まれている。

(4)　その他の資産の譲渡等にのみ要する課税仕入れ　　　　　　 315,000 円

(5)　共通して要する課税仕入れ　　　　　　　　　　　　　　 1,050,000 円

(6)　軽減税率が適用される取引は含まれていない。

問1　当課税期間の課税売上割合が 95％、かつ、課税売上高（税抜）が 30,000,000 円で
　　ある場合

問2　当課税期間の課税売上割合が 80％である場合

問題 7　仕入れに係る対価の返還等(6)　　応用　30分

次の【資料】により、当社の当課税期間（令和 7 年 4 月 1 日〜令和 8 年 3 月 31 日）の納付すべき消費税額を求めなさい。

なお、当社は前課税期間まで継続して課税事業者であり、金額は税込みである。また、課税標準額に対する消費税額及び控除対象仕入税額は割戻し計算の方法によることとする。

【資料】

1．当社の当課税期間の損益計算書は、次のとおりである。

損 益 計 算 書 （単位：円）

Ⅰ	売　上　高		
	総　売　上　高	30,450,000	
	売 上 値 引 戻 り 高	−2,100,000	28,350,000
Ⅱ	売　上　原　価		
	期 首 商 品 棚 卸 高	3,340,000	
	当 期 商 品 仕 入 高	17,140,000	
	仕 入 値 引 戻 し 高	−490,000	
	仕　入　割　戻　し	−175,000	
	合　　計	19,815,000	
	期 末 商 品 棚 卸 高	3,290,000	16,525,000
	売　上　総　利　益		11,825,000
Ⅲ	販売費及び一般管理費		
	給　与　手　当	3,500,000	
	荷 造 運 搬 費	670,000	
	その他の販売費及び一般管理費	2,500,000	6,670,000
	営　業　利　益		5,155,000
Ⅳ	営　業　外　収　益		
	受　取　利　息	50,000	
	仕　入　割　引	300,000	
	有 価 証 券 売 却 益	97,500	447,500

V　営　業　外　費　用

　　　支　払　利　息　　　　　　　　　　　　　　　　25,000

　　　　　経　常　利　益　　　　　　　　　　　　5,577,500

VI　特　別　損　失

　　　固　定　資　産　売　却　損　　　　　　　　　626,000

　　　　　税　引　前　当　期　純　利　益　　　　　4,951,500

2．損益計算書の内容に関して付記すべき事項は、次のとおりである。

　　なお、課税仕入れ及び保税地域からの引取りに係る課税貨物について課税資産の譲渡等にのみ要するもの、課税資産の譲渡等以外の資産の譲渡等（以下「その他の資産の譲渡等」という。）にのみ要するもの及び課税資産の譲渡等とその他の資産の譲渡等に共通して要するもの（以下「共通課税仕入れ」という。）の区分については、特に記載のあるものを除き、資産の譲渡等との対応関係が明確であるものは課税資産の譲渡等にのみ要するもの又はその他の資産の譲渡等にのみ要するものとし、これら以外のものは共通課税仕入れとする。

⑴　総売上高は、すべて国内における課税売上高である。

⑵　売上値引及び戻り高は、当課税期間における⑴の売上げに係るものである。

⑶　当期商品仕入高の内訳は、以下のとおりである。

　①　国外の商品メーカーからの輸入に係るもの　　　　　3,900,000 円

　　　このうちには、税関に納付した消費税額 279,300 円及び地方消費税額 78,700 円が含まれている。

　②　国内の商品メーカーからの仕入れに係るもの　　　　13,240,000 円

⑷　仕入値引及び戻し高の内訳は、以下のとおりである。

　①　輸入品の返品に係るもの　　　　　　　　　　　　　240,000 円

　　　このうちには、保税地域からの引取りに係る消費税額 17,100 円及び地方消費税額 4,800 円の還付税額が含まれている。

　②　当課税期間の国内商品の仕入先からの値引に係るもの　250,000 円

⑸　仕入割戻しは、当社の国内仕入先に商品を納品している国内の他の事業者からの当社に対する直接のリベートであり、当課税期間の課税仕入れに係るものである。

⑹　給与手当には、次のものが含まれている。

　①　従業員の住宅手当　　　　　　　　　　　　　　　　240,000 円

　②　従業員の通勤手当　　　　　　　　　　　　　　　　 75,000 円

　　　上記通勤手当は、通常必要と認められるものである。

⑺　荷造運搬費は、すべて課税商品の国内輸送運賃及び包装費に係るものである。

(8)　その他の販売費及び一般管理費の内訳は、以下のとおりである。

　①　課税資産の譲渡等にのみ要するもの　　　　　　　　840,000 円

　②　共通して要するもの　　　　　　　　　　　　　　1,460,000 円

　③　課税仕入れとならないもの　　　　　　　　　　　　200,000 円

(9)　受取利息は、取引先に貸付けた貸付金に係る利息である。

(10)　仕入割引は、当課税期間の国内課税仕入れに係る買掛金を支払期日前に決済したことにより支払われたものである。

(11)　有価証券売却益は、帳簿価額 2,850,000 円の国内株式を 3,000,000 円で売却した際の売却益から売却手数料 52,500 円を控除した金額である。

(12)　固定資産売却損は、帳簿価額 3,300,000 円の国内に所在する土地を 2,800,000 円で売却した際の売却損に売却手数料 126,000 円を加算した金額である。

(13)　当社は軽減税率が適用される取引は行っていない。

Chapter 11

資産の譲渡等の
時期

| 問題 1 | 資産の譲渡等の時期(1) | 基本 | 10分 |

次の【資料】により売上げに計上すべき日及びその金額を答えなさい。

なお、当課税期間は令和7年4月1日から令和8年3月31日までとし、税込経理を採用しているものとする。

【資料】

(1)　令和7年3月10日に商品（販売価額660,000円）の注文を受け手付金300,000円を収受し、令和7年3月25日に発送した。なお、手付金控除後の商品代金については令和7年4月30日に支払いを受けている。

　　　また、当社では収益の認識基準として継続して検収基準を採用しており、令和7年4月10日付で取引先から検収済の通知を受けた。

(2)　甲社に販売委託している商品のうち令和7年3月20日付で販売された商品（販売価額5,500,000円）の売上計算書が令和7年4月10日に到着した。

　　　なお、受託者が1ヵ月を単位として一括して売上計算書を作成して翌月10日に送付しているので、当社では継続して売上計算書の到着した日をもって棚卸資産の譲渡をした日としている。

(3)　当社は、貸店舗に係る令和7年3月分の家賃220,000円を令和7年4月5日に受け取った。

　　　なお、契約書の約定では、当月分を当月末日までに受け取ることとなっている。

(4)　当社は金融業を営んでいるが、令和7年3月2日にA社に対して30,000,000円を貸付期間90日、利率年4％の約定により貸付けた。当課税期間に対応する利息は197,260円であり、令和7年5月31日の返済日に元金と共にA社より受け取っている。なお、90日分の利息は295,890円である。

(5)　衣料品販売業を営む当社は、令和6年5月20日に預け入れた1年ものの定期預金利息60,000円を令和7年5月20日に受け取った。当課税期間に対応する金額は8,054円である。当社は継続して支払期日に受取利息を計上する経理処理を行っている。

| 問題2 | 資産の譲渡等の時期(2) | 基本 | 3分 |

次の【資料】に基づき、当課税期間（令和7年4月1日〜令和8年3月31日）の課税売上げの金額を求めなさい。

【資料】

⑴　商品販売にあたり手付金 50,000 円を受け取った。なお、商品の引渡しは翌課税期間である。

⑵　商品を 11,000 円で売上げた。なお、代金の回収日は翌課税期間である。

⑶　前課税期間に売上げた商品 22,000 円の代金を当課税期間に回収した。

⑷　当課税期間に土地（帳簿価額 10,000,000 円）を 12,000,000 円で売却し、固定資産売却益 2,000,000 円を計上した。なお、売却代金は当課税期間中に回収している。

⑸　当課税期間に備品（帳簿価額 80,000 円）を 90,000 円で売却し、固定資産売却益 10,000 円を計上した。なお、売却代金の回収日は翌課税期間である。

| 問題3 | 資産の譲渡等の時期(3) | 応用 | 10分 |

不動産賃貸業を営んでいる甲社に係る次の【資料】に基づき、当課税期間（令和7年4月1日〜令和8年3月31日）の課税売上げの金額を求めなさい。

【資料】

⑴　不動産賃貸収入 9,060,000 円の内訳は、次のとおりである。なお、各用途は特に記載のあるものを除き、賃貸借契約において明らかにされている。

① 1階 101号室（店 舗）　　　3,200,000 円
② 2階 201号室（事務所）　　　3,100,000 円
③ 3階 301号室（居住用）　　　1,440,000 円
　　　 302号室　　　　　　　　1,320,000 円

　　　302号室は令和7年4月1日から賃借人乙と事務所用として賃貸借契約を行っていたが、当初から乙が従業員社宅として使用していたため、令和8年4月1日から居住用として変更契約を行った。

⑵　賃貸借用建物に併設のアスファルト敷で区画されている月極駐車場収入　　150,000 円

　　101号室及び201号室の賃借人に貸している区画 100,000 円と301号室の賃借人に貸している区画 50,000 円の合計額である。

(3)　賃貸借契約において入居者から預かる保証金のうち、解約の際に一律その保証金の2割を返還しないこととしている。当課税期間に受け取った保証金のうち返還を要しないものは、次のとおりである。

① 3階　301号室の契約時に受け取り、返還を要しないもの 60,000 円

② 3階　302号室の契約時に受け取り、返還を要しないもの 40,000 円

（平成 22 年本試験問題　改題）

Chapter 12

確定申告Ⅱ

問 題 1　確定申告の概要　　　　　　　　　　基本　5分

確定申告に関して、以下の文章の空欄を埋めなさい

1　課税資産の譲渡等についての確定申告

(1)　内容

　　　事業者（免税事業者を除く。）は、課税期間ごとに、その課税期間の末日の翌日から（　①　）に、一定の事項を記載した申告書を税務署長に提出しなければならない。

　　　ただし、国内における課税資産の譲渡等（特定資産の譲渡等に該当するもの及び輸出免税取引等を除く。）がなく、かつ、（　②　）がない課税期間については、この限りではない。

(2)　添付書類

　　　確定申告書には、その課税期間中の（　③　）及び（　④　）の明細その他の事項を記載した書類を添付しなければならない。

(3)　確定申告書の記載事項

　　①　（　⑤　）

　　②　税率の異なるごとに区分した（　⑥　）

　　③　②から控除されるべき次の消費税額の合計額

　　　イ　仕入れに係る消費税額

　　　ロ　売上げに係る対価の返還等の金額に係る消費税額

　　　ハ　特定課税仕入れに係る対価の返還等を受けた金額に係る消費税額

　　　ニ　貸倒れに係る消費税額

　　④　（　②　）

　　⑤　（　⑦　）

　　⑥　（　⑧　）

　　⑦　中間納付還付税額

　　⑧　上記金額の計算の基礎その他一定の事項

2　納付

　　　確定申告書を提出した者は、（　②　）（又は、（　⑧　））があるときは、その（　⑨　）までに、その消費税額を国に納付しなければならない。

問題 2　個人事業者の申告期限の特例　　　　　　　　基本　3分

個人事業者の申告期限の特例に関して、以下の文章の空欄を埋めなさい。

⑴　個人事業者の特例

　　個人事業者のその年の 12 月 31 日の属する課税期間に係る確定申告書の提出期限は、その年の（　①　）とする。

⑵　確定申告書の提出期限までに死亡した場合

　　確定申告書を提出すべき個人事業者がその課税期間の末日の翌日からその申告書の提出期限までの間にその申告書を提出しないで死亡した場合には、その（　②　）は、その（　③　）があったことを知った日の翌日から（　④　）月以内に、税務署長にその申告書を提出しなければならない。

⑶　課税期間の中途で死亡した場合

　　個人事業者が課税期間の中途において死亡した場合において、その者のその課税期間分の消費税について確定申告書を提出しなければならないときは、その（　②　）は、その（　③　）があったことを知った日の翌日から（　④　）月以内に、税務署長にその申告書を提出しなければならない。

問題 3　清算中の法人の申告期限の特例　　　　　　　基本　3分

清算中の法人の申告期限の特例に関して、以下の文章の空欄を埋めなさい。

　清算中の法人につきその残余財産が確定した場合には、（　①　）の属する課税期間の末日の翌日から（　②　）月以内に、税務署長にその申告書を提出しなければならない。

　ただし、その課税期間の末日の翌日から（　②　）月以内に残余財産の最後の分配等が行われる場合には、その行われる日の（　③　）までに提出しなければならない。

問題 4　法人の確定申告書の提出期限の特例　　基本　3分

法人の確定申告書の提出期限の特例に関して、以下の文章の空欄を埋めなさい。

消費税申告書を提出すべき法人（法人税法の確定申告書の提出期限の延長の特例の規定の適用を受ける法人に限る。）が、消費税申告書の提出期限を延長する旨を記載した届出書をその納税地の所轄税務署長に提出した場合には、その提出をした日の属する事業年度以後の（　①　）の属する課税期間に係る消費税申告書の提出期限については、その課税期間の末日の翌日から（　②　）とする。

問題 5　確定申告の理論　　応用　15分

確定申告について、以下の問に答えなさい。

問1　次の場合において、相続人Hが行うべき個人事業者Gに係る令和7年の消費税に関する申告手続及びその期限を答えなさい。

令和7年5月15日に死亡した個人事業者Gのその死亡の日の属する年（令和7年）の消費税の申告の計算に係る課税標準額に対する消費税額は60万円あり、控除税額の合計額は24万円であった。

個人事業者Gには、会社員である相続人Hがおり、令和7年において個人事業者Gには消費税法第42条に基づく中間申告の義務は生じていない。また、相続人Hの相続の開始があったことを知った日は、個人事業者Gの死亡の日であり、相続人Hは、相続後事業を承継しないものとする。

問2　次の場合において、A社の残余財産が確定した課税期間に係る確定申告期限を答えなさい。なお、A社の当課税期間は、令和7年4月1日から令和8年3月31日までである。

電化製品を販売しているA社は、近年の業績不振により解散し、その後清算手続を進めていたが、当課税期間においてその清算手続が完了し、残余財産の分配が行われることとなった。A社は、清算手続期間中も在庫商品の販売等を行っていたため、当課税期間においてもこれらに係る課税売上げは生じている。なお、A社は、令和8年3月31日に残余財産が確定した。

Chapter 13

還付を受ける
ための申告

| 問 題 1 | 還付を受けるための申告(1) | 基本 | 3分 |

以下の文章の空欄を埋め、正しい文章を完成させなさい。

(1)　内容

　　事業者（（　①　）を除く。）は、その課税期間分の消費税につき（　②　）又は（　③　）

がある場合には、（　④　）がない場合においても、これらの税額の還付を受けるため、

一定の事項を記載した申告書を（　⑤　）に提出することができる。

(2)　添付書類

　　還付を受けるための申告書には、その課税期間中の（　⑥　）及び（　⑦　）の明細

その他の事項を記載した書類を添付しなければならない。

| 問 題 2 | 還付を受けるための申告(2) | 基本 | 3分 |

以下の問に簡潔に答えなさい。

(1)　還付を受けるための申告書の提出ができる事業者はどのような事業者か。

(2)　申告手続のできない免税事業者が、控除不足還付税額の還付を受けるために事前にし

ておくべき手続は何か。

| 問 題 3 | 還付を受けるための申告(3) | 応用 | 7分 |

　次の(1)～(4)の場合において、「確定申告書」又は「還付を受けるための申告書」のいずれ

を提出することが適切か答えなさい。なお、中間納付税額については考慮しないものとする。

(1)　課税標準額に対する消費税額　　　　　　　　0 円

　　控除過大調整税額　　　　　　　　180,000 円

　　控除税額小計　　　　　　　　　　150,000 円

(2)　課税標準額に対する消費税額　　　　　　200,000 円

　　　控除過大調整税額　　　　　　　　　　　　　0 円

　　　控除税額小計　　　　　　　　　　　　250,000 円

(3)　課税標準額に対する消費税額　　　　　　300,000 円

　　　控除過大調整税額　　　　　　　　　　　　　0 円

　　　控除税額小計　　　　　　　　　　　　220,000 円

(4)　課税標準額に対する消費税額　　　　　　　　　0 円

　　　控除過大調整税額　　　　　　　　　　　　　0 円

　　　控除税額小計　　　　　　　　　　　　500,000 円

Ch 1

Ch 2

Ch 3

Ch 4

Ch 5

Ch 6

Ch 7

Ch 8

Ch 9

Ch 10

Ch 11

Ch 12

Ch 13

Ch 14

Ch 15

Ch 16

········ *Memorandum Sheet* ········

Chapter 14

中間申告Ⅱ

計算 答案用紙： 79頁 解答解説： 14-1頁

問題 1　中間納付税額の計算（原則）　　　基本　10分

　前課税期間（令和6年4月1日から令和7年3月31日）の確定消費税額が(A)から(C)のそれぞれの場合における当課税期間（令和7年4月1日から令和8年3月31日）の中間納付税額を計算しなさい。

(A)　　50,000,000 円

(B)　　 4,600,000 円

(C)　　　 620,000 円

計算 答案用紙： 80頁 解答解説： 14-2頁

問題 2　中間納付税額の計算（特例）　　　基本　7分

　前課税期間（令和6年4月1日から令和7年3月31日）の確定消費税額は 4,720,000 円であり、当課税期間（令和7年4月1日から令和8年3月31日）の取引の状況は以下のようであった。この場合における当課税期間の中間納付税額を原則と特則のうちいずれか有利な方を選択し、計算しなさい。

当課税期間の取引の状況

	4月～6月	7月～9月	10月～12月
課税標準額に対する消費税額	5,250,000 円	5,000,000 円	5,100,000 円
控除税額小計	4,000,000 円	3,950,000 円	4,100,000 円

問 題 3　確定消費税額に変更がある場合　　応用　10分

　甲社の前事業年度（令和6年4月1日から令和7年3月31日）に係る消費税額（当課税期間の中間納付税額の計算の基礎となる消費税額は、次のとおりである。

　これに基づき当社の当課税期間（令和7年4月1日から令和8年3月31日）の中間納付税額を計算しなさい。

(1)　当初申告分（期限内申告）　　　　　　　　　　　　3,895,200 円

(2)　第1回目修正申告分（令和7年7月10日提出）　　　246,000 円　　（増加税額）

(3)　第2回目修正申告分（令和7年10月16日提出分）　　84,000 円　　（増加税額）

問 題 4　中間納付税額の計算(1)　　応用　7分

　次の【資料】に基づき、甲社の当課税期間（令和7年4月1日から令和8年3月31日）の中間納付税額を計算しなさい。

【資料】

　甲社は、令和5年4月4日に資本金の額700万円で設立した2月決算法人であったが、令和5年9月30日に増資を行い、資本金の額が2,000万円となった。

　また、令和6年3月16日に12月末決算に事業年度を変更したが、令和7年2月3日に再度事業年度を変更し3月末決算となった。これにより、前事業年は令和7年1月1日から令和7年3月31日までとなっている。

　甲社の前事業年度に係る消費税額（当課税期間における中間申告により納付すべき消費税額の計算の基礎となる消費税額）1,000,000 円は、確定申告（期限内申告）により確定しているものであり、これに基づいて中間申告を行っている。

（平成21年本試験問題　改題）

| 問題5 | 中間納付税額の計算(2) | 応用 | 7分 |

次の【資料】に基づき、甲社の当課税期間（令和7年8月1日から令和8年7月31日）の中間納付税額を計算しなさい。

【資料】

甲社は、乙社と丙社との合併により令和7年4月1日に資本金800万円で新たに設立された法人である。

甲社の前事業年度（令和7年4月1日から令和7年7月31日）に係る確定申告（期限内申告）による消費税の額は2,300,000円（消費税1,794,000円、地方消費税506,000円）である。

（平成28年本試験問題　改題）

| 問題6 | 中間申告の理論(1) | 基本 | 3分 |

中間申告に関して、以下の文章の空欄を埋めなさい。

⑴　3月中間申告

①　内容

事業者（（　①　）を除く。）は、3月中間申告対象期間の末日の翌日から（　②　）以内に、一定の事項を記載した申告書を税務署長に提出しなければならない。

②　適用除外

①の規定は、次のいずれかに該当する場合には適用しない。

イ　その課税期間の直前の課税期間の確定申告書に記載すべき（　③　）で3月中間申告対象期間の末日までに確定したものをその（　④　）で除し、これに3を乗じて計算した金額が（　⑤　）万円以下である場合

ロ　課税期間を（　⑥　）している場合

ハ　次のいずれかの課税期間に該当する場合

(イ)　個人事業者の事業を開始した日の属する課税期間

(ロ)　法人の（　⑦　）を超えない課税期間

(ハ)　法人（合併により設立されるものを除く。）の（　⑧　）の属する課税期間

ニ　1月中間申告の適用を受ける期間を含む期間である場合

③　3月中間申告対象期間

その課税期間開始の日以後3月ごとに区分した各期間（最後の期間を除く。）をいう。

理論　　　　　　　　　　　　　　答案用紙：　83頁　解答解説：　14-7頁

問題 7　中間申告の理論(2) 　　　　　基本　3分

中間申告に関して、以下の文章の空欄を埋めなさい。

1　特例

⑴　内容

中間申告書を提出すべき事業者が、中間申告対象期間を一課税期間とみなして、その期間に係る課税標準額その他一定の事項を計算した場合には、その提出する中間申告書に、原則の記載事項に代えて、これらを記載することが（　①　）。

⑵　添付書類

⑴の中間申告書には、その中間申告対象期間中の資産の譲渡等の対価の額及び課税仕入れ等の税額の明細その他の事項を記載した（　②　）を添付しなければならない。

2　中間申告書の提出がない場合の特例

（　③　）がその中間申告書をその提出期限までに提出しなかった場合には、その（　④　）において、税務署長に原則の税額計算の方法による（　⑤　）があったものとみなす。

3　納付

中間申告書を提出した者は、中間納付税額があるときは、その（　⑥　）までに、その消費税額を（　⑦　）に納付しなければならない。

理論　　　　　　　　　　　　　　答案用紙：　83頁　解答解説：　14-8頁

問題 8　中間申告の理論(3) 　　　　　応用　10分

次の場合において、R社が納税資金に関する資金繰りを考慮し行うべき消費税の申告に関する手続きは何かを答えなさい。また、その期限を答えなさい。

製造業を営むR社（事業年度は毎年4月1日から翌年3月31日までである。）は、前課税期間の業績が好調であったことに伴い、前課税期間の確定消費税額が通常の2倍程度である2,800万円となった。

しかし、当課税期間の中間決算以後、売上げの減少が見込まれることとなり、当課税期間中の4月1日から9月30日までの中間申告対象期間における控除税額の合計額は課税標準額に対する消費税額を上回ることとなった。

問 題 9　中間申告の理論(4)　　　　　　　　　　応用 | 10分

次の場合において、事業者が行うべき消費税法上の手続きについて述べよ。

課税事業者Cは、起業5年目でアイデア日用品の製造卸売業を営む個人事業者である。これまでCの売上高は毎年1,500万円前後であったが、昨年末、新商品が話題となったことから、昨年はこれまでで最高の売上高1,800万円、これに伴う消費税及び地方消費税を合わせた年間の納税額も30万円とこれまでの最大額であった。

今年は年初よりこれまでになく活況で、最終的な売上高もこれまでの3～4倍規模と見込んでいる。

事業開始からこれまでは、一年間の税額を確定申告で一度に納税していたが、このような状況から、今年は、半年分について、その期間の売上げ、仕入れ等、取引金額に応じて納税を行うことにした。

（平成30年本試験問題　改題）

Chapter 15

引取りに係る
申告

問 題 1　課税貨物に係る申告　　　　　　　　　　基本　7分

課税貨物に係る申告について、次の文章の空欄を埋めなさい。

(1)　申告納税方式

　①　一般申告の場合

　　　関税法に規定する（　①　）が適用される課税貨物を保税地域から引き取ろうとする者は、他の法律等により消費税を免除されるべき場合を除き、次の事項を記載した申告書を（　②　）に提出しなければならない。

　　イ　課税貨物の品名並びに品名ごとの数量、（　③　）及び（　④　）

　　ロ　（　⑤　）及びその消費税額の合計額

　　ハ　その他一定の事項

　②　特例申告に係る申告期限の特例

　　　課税貨物につき関税法に規定する（　⑥　）を行う場合には、その課税貨物に係る申告書の提出期限は、その課税貨物の引取りの日の属する月の（　⑦　）とする。

(2)　賦課課税方式

　　　関税法に規定する（　⑧　）が適用される課税貨物を保税地域から引き取ろうとする者は、他の法律等により消費税を免除されるべき場合を除き、次の事項を記載した申告書を（　②　）に提出しなければならない。

　①　課税貨物の品名並びに品名ごとの（　⑨　）及び（　③　）

　②　その他一定の事項

問 題 2　課税貨物に係る納付　　　　　　　　　　基本　5分

課税貨物に係る納付について、次の文章の空欄を埋めなさい。

(1)　申告納税方式

　　　申告納税方式の申告書を提出した者は、その（　①　）（特例申告書を提出する場合には、その（　②　））までに、その申告書に記載した消費税額を国に納付しなければならない。

(2)　賦課課税方式

　　　保税地域から引き取られる賦課課税方式が適用される課税貨物に係る消費税は、その保税地域の所在地の所轄税関長がその（　③　）の際（　④　）する。

問 題 3　課税貨物に係る申告の理論　　　応用　10分

次の場合において、J社が採用することができる消費税法上の申告制度を答えなさい。また、その期限を答えなさい。なお、消費税法以外の法令等に規定する手続きについては、触れる必要はない。

輸入雑貨の販売業を行っているJ社は、当該取引に係る輸入に関しては、商品（関税法に規定する申告納税方式が適用される課税貨物に該当する。）の引取りを行う都度、輸入申告を行っているが、当該輸入に係る取引量の増加に伴い、申告手続きに関する事務負担が増大している。

問 題 4　課税貨物に係る特例申告　　　応用　3分

次の【資料】に基づき、甲社の当課税期間（令和7年4月1日～令和8年3月31日）における課税貨物に係る消費税額を求めなさい。

【資料】

甲社は、前課税期間の3月中に保税地域から引き取った課税貨物につき、当課税期間の4月中に特例申告書を提出している。なお、この申告の際、税関に消費税額2,000,000円及び地方消費税額564,100円を納付している。

問 題 5　納期限の延長　　　応用　5分

次の【資料】に基づき、甲社の当課税期間（令和7年4月1日～令和8年3月31日）における課税貨物に係る消費税額を求めなさい。

【資料】

甲社の損益計算書の当期商品仕入高には、甲社が輸入し、保税地域から引き取った商品240,674,200円が含まれている。

なお、240,674,200円には、輸入の際税関に納付した消費税額11,548,500円及び地方消費税額3,527,200円、当課税期間中に引き取った課税貨物につき納期限の延長を受けて未納付となっている消費税額5,688,100円及び地方消費税額1,604,300円が含まれている。

問題 6　納期限の延長の理論　　　　　　　　　基本　7分

次の文章の空欄を埋めなさい。

(1)　個別延長方式

　　（　①　）が適用される課税貨物を保税地域から引き取ろうとする者が、（　①　）に係る申告書を提出した場合において、その申告書に記載した消費税額の納期限に関し、延長を受けたい旨の（　②　）を（　③　）に提出し、かつ、（　④　）を提供したときは、その（　③　）は、その消費税額が（　④　）の額を超えない範囲内において、その納期限を（　⑤　）に限り延長することができる。

(2)　包括延長方式

　　（　①　）が適用される課税貨物を保税地域から引き取ろうとする者が、（　⑥　）において課されるべき消費税の納期限に関し（　⑥　）の（　⑦　）までに延長を受けたい旨の（　②　）を（　③　）に提出し、かつ、（　④　）を提供したときは、その（　③　）は、（　⑥　）における消費税の（　⑧　）がその（　④　）の額を超えない範囲内において、その納期限を（　⑥　）の末日の翌日から（　⑤　）に限り延長することができる。

(3)　特例延長方式

　イ　特例輸入者

　　特例輸入者が、（　⑨　）をその提出期限までに提出した場合において、（　⑨　）に記載した消費税額の納期限に関し、その（　⑨　）の提出期限までに延長を受けたい旨の（　②　）を（　③　）に提出したときは、その（　③　）は、その消費税については、その納期限を（　⑩　）に限り延長することができる。この場合において、その（　③　）は、消費税の（　⑪　）のために必要があると認めるときは、その特例輸入者に対し、その（　⑨　）に記載した消費税額に相当する額の（　④　）の提供を（　⑫　）ことができる。

　ロ　特例委託輸入者

　　特例委託輸入者が、（　⑨　）をその提出期限までに提出した場合において、その（　⑨　）に記載した消費税額の納期限に関し、その（　⑨　）の提出期限までに延長を受けたい旨の（　②　）を（　③　）に提出し、かつ、（　④　）を提供したときは、その（　③　）は、その消費税額がその（　④　）の額を超えない範囲内において、その納期限を（　⑩　）に限り延長することができる。

Chapter 16

更正の請求

問題 1　税額の確定と是正　　　　基本　3分

税額の確定と是正に関して、以下の空欄に適切な語句を埋めなさい。

＜税額の確定手続＞

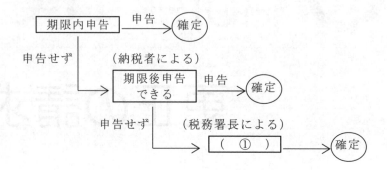

＜税額の是正手続＞

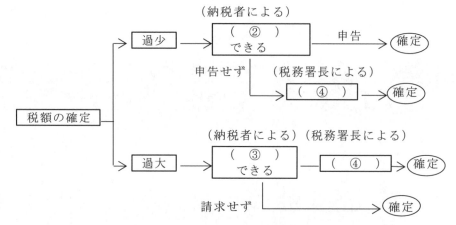

問題2　国税通則法　　　　　　　　　　　　　　基本　5分

国税通則法における更正の請求に関して、以下の文章の空欄を埋めなさい。

1　原則

　　納税申告書を提出した者は、次のいずれかの理由に該当する場合には、その申告書に係る（　①　）から（　②　）以内に限り、税務署長に対し、（　③　）をすることができる。

　⑴　その申告書に記載した課税標準等の計算が国税に関する法律の規定に従っていなかったこと又は計算に誤りがあったことにより、その申告に係る納付すべき税額が（　④　）であるとき

　⑵　⑴の理由により、その申告に係る還付金の額が（　⑤　）であるとき、又はその記載がなかったとき

2　特則

　　納税申告書を提出した者又は決定を受けた者は、次のいずれかの理由に該当するときには、その（　⑥　）の翌日から（　⑦　）以内に限り、税務署長に対し、更正の請求をすることができる。

　⑴　その申告等に係る課税標準等の計算の基礎となった（　⑧　）についての判決等により、その事実がその計算の基礎としたところと異なることが確定したとき

　⑵　その申告等に係る課税標準等の計算にあたって、その申告等をした者に帰属するものとされていた所得等が（　⑨　）するものとするその他の者に係る国税の更正又は決定があったとき

　⑶　その他法定申告期限後に生じた⑴又は⑵に類するやむを得ない理由があるとき

問題 3 　消費税法の特例　　　　　　　　　　　基本　5分

諸費税法における更正の請求の特例に関して、以下の文章の空欄を埋めなさい。

次のそれぞれの理由に該当する場合には、その修正申告書を提出した日等の翌日から（　①　）に限り、税務署長に対し、（　②　）をすることができる。

(1)　課税資産の譲渡等に係る特例

確定申告書等に記載すべき一定の金額につき、修正申告書を提出し又は更正等を受けた者が、その修正申告書の提出等に伴い、これらに係る課税期間後の課税期間で決定を受けた課税期間に係る納付すべき税額が（　③　）又は還付金の額が（　④　）となる場合

(2)　課税貨物に係る特例

課税貨物に係る申告書に記載すべき一定の金額につき、修正申告書を提出し又は更正等を受けた者がその修正申告書の提出等に伴い、これらに係る課税期間で決定を受けた課税期間に係る納付すべき税額が（　③　）又は還付金の額が（　④　）となる場合

問題 4 　更正の請求の手続　　　　　　　　　　基本　3分

更正の請求の手続に関して、以下の文章の空欄を埋めなさい。

更正の請求をしようとする者は、その請求に係る（　①　）及び（　②　）の課税標準等又は税額等、その更正の（　③　）等を記載した（　④　）を税務署長に提出しなければならない。

解答解説編

Chapter 1　消費税とはⅡ

解答	問題1　消費税の概要

①	(7.8)	②	(2.2)	③	(直接税)
④	(間接税)	⑤	(申告納税方式)	⑥	(賦課課税方式)
⑦	(国内)	⑧	(輸出)	⑨	(輸入)
⑩	(個人事業者)	⑪	(法人)	⑫	(課税期間)

※⑩と⑪は順不同

解　説

(1)　消費税の税率は10%であり、国税（①7.8）%、地方税（②2.2）%で構成されている。

(2)　税の負担者と納税者が同一である税金を（③直接税）、税の負担者と納税者が異なる税金を（④間接税）といい、国内取引の消費税は（④間接税）である。

(3)　税額計算を誰が行うかにより税金を分類した場合、（⑤申告納税方式）と（⑥賦課課税方式）の2つの方式に分けられるが、消費税の国内取引については（⑤申告納税方式）を採用している。

(4)　取引を区分すると、（⑦国内）取引、（⑧輸出）取引、（⑨輸入）取引、国外取引に分けられ、消費税法では（⑦国内）取引と（⑧輸出）取引をまとめたものを広義の（⑦国内）取引と捉えている。

(5)　消費税法では、（⑩個人事業者）と（⑪法人）を事業者という。

(6)　消費税の計算の基礎となる期間を（⑫課税期間）という。

解答	問題2　納付税額の計算(1)

問1

課税標準額に対する消費税額	6, 665, 412 円
控除対象仕入税額	4, 467, 272 円
差引税額	2, 198, 100 円
納付税額	2, 198, 100 円

問 2

課税標準額に対する消費税額	3,837,444 円
控除対象仕入税額	2,686,242 円
差引税額	1,151,200 円
納付税額	851,200 円

問 3

課税標準額に対する消費税額	12,874,212 円
控除対象仕入税額	12,369,381 円
差引税額	504,800 円
中間納付還付税額	95,200 円

問 4

課税標準額に対する消費税額	8,582,808 円
控除対象仕入税額	9,641,863 円
控除不足還付税額	1,059,055 円

解 説

問 1 （単位：円）

(1) 課税標準額

$94,000,000 \times \dfrac{100}{110} = 85,454,545 \rightarrow 85,454,000$ （千円未満切捨）

(2) 課税標準額に対する消費税額

$85,454,000 \times 7.8\% = 6,665,412$

(3) 控除対象仕入税額

$63,000,000 \times \dfrac{7.8}{110} = 4,467,272$

(4) 差引税額

$6,665,412 - 4,467,272 = 2,198,140 \rightarrow 2,198,100$ （百円未満切捨）

(5) 納付税額

$2,198,100$

問2 （単位：円）

(1) 課税標準額

$$54,118,400 \times \frac{100}{110} = 49,198,545 \rightarrow 49,198,000 \text{（千円未満切捨）}$$

(2) 課税標準額に対する消費税額

$$49,198,000 \times 7.8\% = 3,837,444$$

(3) 控除対象仕入税額

$$37,882,900 \times \frac{7.8}{110} = 2,686,242$$

(4) 差引税額

$$3,837,444 - 2,686,242 = 1,151,202 \rightarrow 1,151,200 \text{（百円未満切捨）}$$

(5) 納付税額

$$1,151,200 - 300,000 = 851,200$$

問3 （単位：円）

(1) 課税標準額

$$181,560,000 \times \frac{100}{110} = 165,054,545 \rightarrow 165,054,000 \text{（千円未満切捨）}$$

(2) 課税標準額に対する消費税額

$$165,054,000 \times 7.8\% = 12,874,212$$

(3) 控除対象仕入税額

$$174,440,000 \times \frac{7.8}{110} = 12,369,381$$

(4) 差引税額

$$12,874,212 - 12,369,381 = 504,831 \rightarrow 504,800 \text{（百円未満切捨）}$$

(5) 中間納付還付税額

$$600,000 - 504,800 = 95,200$$

　差引税額より中間納付税額の方が大きい場合、控除しきれない金額は中間納付還付税額として還付されます。

問4 （単位：円）

(1) 課税標準額

$$121,040,000 \times \frac{100}{110} = 110,036,363 \rightarrow 110,036,000 \text{（千円未満切捨）}$$

(2) 課税標準額に対する消費税額

$$110,036,000 \times 7.8\% = 8,582,808$$

(3) 控除対象仕入税額

$$135,975,000 \times \frac{7.8}{110} = 9,641,863$$

Ch 1

Ch 2

Ch 3

Ch 4

Ch 5

Ch 6

Ch 7

Ch 8

Ch 9

Ch 10

Ch 11

Ch 12

Ch 13

Ch 14

Ch 15

Ch 16

(4)　控除不足還付税額

　　　$9,641,863-8,582,808=1,059,055$

　課税標準額に対する消費税額より控除対象仕入税額の方が大きい場合、控除しきれない金額は控除不足還付税額として還付されます。なお、控除不足還付税額については、差引税額のように百円未満切捨を行わない点に注意しましょう。

解答	問題3　納付税額の計算(2)

I　課税標準額に対する消費税額の計算

〔課税標準額〕

計　算　過　程	（単位：円）	
商品売上高86,400,000＋修理売上高12,000,000＋車両売却2,500,000＝100,900,000		
$100,900,000×\dfrac{100}{110}=91,727,272 \rightarrow 91,727,000$ （千円未満切捨）	金額	円 91,727,000

〔課税標準額に対する消費税額〕

計　算　過　程	（単位：円）	金額	円
$91,727,000×7.8\%=7,154,706$			7,154,706

II　仕入れに係る消費税額の計算等

〔控除対象仕入税額〕

計　算　過　程	（単位：円）
(1)　区分経理及び税額 　①　課税資産の譲渡等にのみ要するもの 　　　商品仕入52,000,000＋広告宣伝2,100,000＝54,100,000 　　　$54,100,000×\dfrac{7.8}{110}=3,836,181$ 　②　その他の資産の譲渡等にのみ要するもの 　　　売却手数料　　80,000 　　　$80,000×\dfrac{7.8}{110}=5,672$ 　③　共通して要するもの 　　　事務所家賃3,840,000＋水道光熱1,200,000＝5,040,000 　　　$5,040,000×\dfrac{7.8}{110}=357,381$	

(2) 個別対応方式

3,836,181＋357,381×80％＝4,122,085

	金額	円
		4,122,085

Ⅲ　納付税額の計算

〔納付税額〕

計　算　過　程		（単位：円）
(1)　差引税額		
7,154,706－4,122,085＝3,032,621　→　3,032,600（百円未満切捨）		
(2)　納付税額		
3,032,600－827,100＝2,205,500	金額	円
		2,205,500

解　説

　本問は、控除対象仕入税額は、課税売上割合を 80％ として個別対応方式によるものとするという指示があるため、課税仕入れを「課税資産の譲渡等にのみ要する課税仕入れ」、「その他の資産の譲渡等にのみ要する課税仕入れ」及び「共通して要する課税仕入れ」に区分し、「課税資産の譲渡等にのみ要する課税仕入れ」に係る消費税額は全額控除税額し、「共通して要する課税仕入れ」に係る消費税額は課税売上割合を乗じた金額を控除税額とする。なお、「その他の資産の譲渡等にのみ要する課税仕入れ」に係る消費税額は課税の累積が生じないことから控除の対象としない。

Chapter 2　課税の対象Ⅱ

解答	問題1　国内取引の判定(1)

〔資産の譲渡又は貸付け〕

⑴　⑷　⑹　⑻　⑼

〔役務の提供〕

⑴　⑵　⑶　⑷

解　説

〔資産の譲渡又は貸付け〕

⑴　国内にある資産の譲渡であるため、国内取引に該当します。

⑵　国外にある資産の譲渡であるため、国内取引に該当しません。

⑶　国外にある資産の譲渡であるため、国内取引に該当しません。

⑷　国内にある資産の譲渡であるため、国内取引に該当します。

⑸　国外にある資産の貸付けであるため、国内取引に該当しません。

⑹　国内にある資産の譲渡であるため、国内取引に該当します。

⑺　国外支店にある資産の譲渡であるため、国内取引に該当しません。

⑻　国内にある資産の貸付けであるため、国内取引に該当します。

⑼　利子を対価とする金銭の貸付け等が国内取引に該当するか否かの判定は、その貸付け等を行う者のこれらに係る事務所等の所在地が国内にあるか否かにより行います。

　　本問は、貸付けに係る事務所が国内にあるため、国内取引に該当します。

⑽　貸付けに係る事務所が国外にあるため、国内取引に該当しません。

〔役務の提供〕

⑴　国内における役務の提供なので、国内取引に該当します。

⑵　国際運輸が国内取引に該当するか否かの判定は、その貨物の出発地、発送地又は到着地のいずれかにより行います。

　　本問は、貨物の到着地が国内であるため、国内取引に該当します。

⑶　国内における役務の提供なので、国内取引に該当します。

⑷　国内における役務の提供なので、国内取引に該当します。

解答	問題2　国内取引の判定⑵

〔資産の譲渡又は貸付け〕

⑴　⑵　⑷　⑹　⑻

〔役務の提供〕

⑴　⑵　⑶

解　説

〔資産の譲渡又は貸付け〕

⑴　国内にある資産の譲渡であるため、国内取引に該当します。

⑵　国内にある資産の譲渡であるため、国内取引に該当します。

⑶　国外にある資産の譲渡であるため、国内取引に該当しません。

⑷　国内にある資産の譲渡であるため、国内取引に該当します。

　　※　輸出取引も広義の国内取引に含まれます。

⑸　国外にある資産の譲渡であるため、国内取引に該当しません。

⑹　特許権に関する国内取引の判定は、権利の登録をした機関の所在地により行います。

　　本問の特許権は日本で登録されているため、国内取引に該当します。

⑺　国外で登録されている特許権の貸付けなので、国内取引に該当しません。

⑻　2以上の国で登録している特許権の貸付けは、登録をした機関の所在地でなく、貸付けを行う者の住所地が国内にあるか否かにより判定します。

　　本問は、特許権の貸付者の住所地が国内のため、国内取引に該当します。

⑼　ノウハウの貸付けが国内取引に該当するか否かの判定は、ノウハウの貸付けを行う者の住所地により行います。

　　本問は、ノウハウの貸付けを行う者の住所地が国外なので、国内取引に該当しません。

⑽　船舶の譲渡が国内取引に該当するか否かの判定は、その船舶の登録機関の所在地により行います。

　　本問は、船舶の登録地が国外であるため、国内取引に該当しません。

〔役務の提供〕

⑴　国内における役務の提供なので、国内取引に該当します。

⑵　国際通信が国内取引に該当するか否かの判定は、その通信の発信地又は受信地のいずれかにより行います。

　　本問は、通信の発信地が国内であるため、国内取引に該当します。

⑶　通信の受信地が国内であるため、国内取引に該当します。

⑷　役務の提供が国外なので、国内取引に該当しません。

解答	問題3　資産の譲渡等(1)

(1)　(3)　(5)　(6)　(7)　(8)　(10)

解　説

(2)　生活用資産の譲渡は事業活動に付随して行われる取引に含まれない　→　非事業取引

(4)　サラリーマンQ氏…反復継続して行われていない　→　個人事業者ではない

(7)　会社員B氏のマンションの貸付け…事業規模は不問、反復・継続・独立　→　事業取引

(9)　サラリーマンG氏…反復継続して行われていない　→　個人事業者ではない

(10)　事業者には非居住者♣を含む

　♣非居住者…日本に住所、居所を有しない自然人、日本に主たる事務所（本社）を有しない法人

解答	問題4　資産の譲渡等(2)

(1)　(2)　(6)　(10)

解　説

(3)保険事故の発生、(4)剰余金の配当、(5)助成金、(8)心身又は資産に係る損害の発生

⇒　収入をもたらした原因、理由が「資産の譲渡」、「資産の貸付け」、「役務の提供」ではない

　　（対価に該当しない。）

(7)試供品の贈与、(9)無償貸付け　⇒　対価を得ていない

解答	問題5　課税の対象(1)

(1)　(3)　(7)　(13)　(14)　(15)

解　説

(1)　事業者が事業として対価を得て行う資産の譲渡なので、課税の対象となります。

(2)　贈与であるため対価を得ていない取引です。よって、課税の対象となりません。

⑶　贈与であるため対価を得ていない取引です。しかし、法人の自社の役員に対する贈与であるため、対価を得て行われたものとみなされます（みなし譲渡）。よって、課税の対象となります。

⑷　贈与であるため対価を得ていない取引です。また、法人の従業員に対する贈与であるため、みなし譲渡には該当しません。よって、課税の対象とはなりません。

⑸　無償の貸付けであるため対価を得ていない取引です。また、法人の自社の役員に対する贈与ではなく無償の貸付けであるため、みなし譲渡には該当しません。よって、課税の対象とはなりません。

⑹　損害賠償金のうち、心身又は資産につき加えられた損害の発生に伴い受け取るものは、資産の譲渡等の対価に該当しないため、課税の対象とはなりません。

⑺　事業者が、その有する宿舎、宿泊所、集会所、体育館、食堂その他の施設を対価を得て役員又は使用人等に利用させる行為は資産の貸付けの対価に該当するので、課税の対象となります。

⑻　保険金は対価性がないため、課税の対象となりません。

　　不課税の例として、損害賠償金、保険金、配当金、寄附金、補助金があります。

⑼　配当金は対価性がないため、課税の対象となりません。

⑽　寄附金は対価性がないため、課税の対象となりません。

⑾　補助金は対価性がないため、課税の対象となりません。

⑿　贈与であるため対価を得ていない取引です。よって、課税の対象となりません。

⒀　従業員に対する販売であっても、対価を得ている取引です。よって、課税の対象となります。

⒁　商品を家事のために消費しているので対価を得ていませんが、事業として対価を得て行われたものとみなされます（みなし譲渡）。よって、課税の対象となります。

⒂　事業用資産の売却は、「事業者が事業として」行う資産の譲渡なので、課税の対象となります。

解答　問題6　課税の対象⑵

⑴　⑷　⑸　⑻　⑽　⑾　⒀　⒂

解　説

⑴　不動産の明渡しの遅滞により加害者から賃貸人が収受する損害賠償金は、実質が明渡しまでの賃貸料に相当し、資産の譲渡等の対価に該当するため、課税の対象となります。

⑵　建物等の賃借人が建物等の契約の解除に伴い賃貸人から収受する立退料は、資産の譲渡等の対価に該当しないため、課税の対象となりません。

⑶　棚卸資産の廃棄、盗難又は滅失は、資産の譲渡等に該当しないため、課税の対象とはなりません。

⑷　損害を受けた棚卸資産等が加害者に引き渡される場合で、その棚卸資産等がそのまま又は軽微な修理を加えることにより使用できる場合の損害賠償金は資産の譲渡等の対価に該当するため、課税の対象となります。

⑸　特許権等の無体財産権の侵害を受けたことにより受け取る損害賠償金は、実質が無体財産権の貸付けの対価に該当するため、課税の対象となります。

⑹　法人が自己株式を取得する場合（証券市場で買入れによる取得を除く。）における株主から当該法人への株式の引渡しは資産の譲渡等に該当しないため、課税の対象となりません。

⑺　町内会費は、町内会がその構成員に対して行う役務の提供等との間に明白な対価関係がないことから、資産の譲渡等の対価に該当せず、課税の対象とはなりません。

⑻　インターネットカフェの施設を会員に利用させるために受け取る入会金（返還しない）は、資産の譲渡等に係る対価に該当するため、課税の対象となります。

⑼　建物等の賃貸借契約により受け取る保証金、権利金、敷金等のうち、賃借人に返還しないものは資産の譲渡等の対価に該当します。

本問の敷金は、契約終了時に返還義務があるので資産の譲渡等の対価に該当せず、課税の対象とはなりません。

⑽　契約終了時に返還義務がない礼金の受け取りであり、資産の譲渡等の対価に該当するので、課税の対象となります。

⑾　収用による対価補償金の受け取りは、実質的には国等に対して土地等を売却し、その対価として補償金を受け取ることと変わらないため、課税の対象となります。

⑿　収益補償金は資産の譲渡等の対価に該当しないため、課税の対象とはなりません。

休廃業又は資産の移転に伴い受け取る収益補償金、経費補償金、移転補償金等は資産の譲渡等の対価には該当しません。

⒀　ＮＨＫの受信料は、映像等の提供に係る役務の提供の対価であり、課税の対象となります。

⒁　出向先事業者が支払う給与負担金は、出向社員に対する給与であり、給与のように労働の対価として支払われるものは資産の譲渡等に該当せず、課税の対象とはなりません。

⒂　派遣料は、自己が雇用している労働者の派遣という役務の提供の対価であり、資産の譲渡等の対価に該当するため課税の対象となります。

解答	問題7　課税の対象の理論

①	（　　事業者　　）	②	（　　資産の譲渡等　　）	③	（　　課する　　）
④	（　　保税地域　　）	⑤	（　　外国貨物　　）	⑥	（　　事業　　）
⑦	（　　対価　　）	⑧	（　　資産の譲渡　　）	⑨	（　　貸付け　　）
⑩	（　　役務の提供　　）				

(1)　国内取引の課税対象

国内において（①事業者）が行った（②資産の譲渡等）には、消費税を（③課する）。

(2)　輸入取引の課税対象

（④保税地域）から引き取られる（⑤外国貨物）には、消費税を（③課する）。

(3)　資産の譲渡等の意義

（②資産の譲渡等）とは、（⑥事業）として（⑦対価）を得て行われる（⑧資産の譲渡）及び（⑨貸付け）並びに（⑩役務の提供）をいう。

解答　問題8　国内取引の判定の理論(1)

⑴	譲渡又は貸付けが行われる時においてその資産が所在していた場所
⑵	役務の提供が行われた場所

　資産の譲渡等が国内で行われたか否かの判定は、それぞれの判定の場所が国内にあるか否かにより行われます。

　なお、原則的な判定に係る場所で判定できないものについては、施行令で細則が定められています。

解答　問題9　国内取引の判定の理論(2)

　生産設備等の建設又は製造に関する調査、企画、立案等の国内取引の判定は、建設又は製造に必要な資材の大部分が調達される場所で行う。

　本問では、石油化学プラントの建設資材の大部分が国外で調達されていることから国外取引に該当し、消費税の課税対象外取引となる。

　まず、国内取引の判定の該当する規定を考え、問題文の取引をあてはめて結論を考えます。文章に起こす際は、①条文の規定、②問題文の事例の該当箇所、③結論の順で説明していきます。

| 解答 | 問題10　みなし譲渡の理論 |

(1)	個人事業者が棚卸資産等の事業用資産を家事のために消費し、又は使用した場合におけるその消費又は使用
(2)	法人が資産をその役員に対して贈与した場合におけるその贈与

解　説

　課税の対象に含まれる取引は、①国内において行われるものであること、②事業者が事業として行うものであること、③対価を得て行われるものであること、④資産の譲渡及び貸付け並びに役務の提供であることの4要件を満たす取引です。

　ただし、例外として『みなし譲渡』に該当する取引は、事業として対価を得て行われていないことから③の要件を満たしていないにもかかわらず、その要件を満たされたものとみなされるため、課税の対象に含まれることとなります。

| 解答 | 問題11　資産の譲渡等に類する行為の理論 |

(1)	代物弁済による資産の譲渡
(2)	負担付き贈与による資産の譲渡
(3)	金銭以外の資産の出資
(4)	特定受益証券発行信託又は法人課税信託の委託者が金銭以外の資産の信託をした場合におけるその資産の移転等
(5)	貸付金その他の金銭債権の譲受けその他の承継（包括承継を除く。）
(6)	不特定多数の者に受信される無線通信の送信で、法律による契約に基づき受信料を徴収して行われるもの

解　説

　資産の譲渡等に類する行為は、一見すると対価性のない取引であっても何らかの反対給付があるため、対価性のある取引として資産の譲渡等に含まれる取引です。

I　課税標準額に対する消費税額の計算

〔課税標準額〕

計　算　過　程	（単位：円）

商品売上69,120,000＋備品売却870,000＝69,990,000

$69,990,000 \times \dfrac{100}{110} = 63,627,272 \rightarrow 63,627,000$ （千円未満切捨）

金額	円　63,627,000

〔課税標準額に対する消費税額〕

計　算　過　程　（単位：円）	金額	円
63,627,000×7.8％＝4,962,906		4,962,906

II　仕入れに係る消費税額の計算等

〔控除対象仕入税額〕

計　算　過　程	（単位：円）

(1)　区分経理及び税額

　　①　課税資産の譲渡等にのみ要するもの

　　　　商品仕入41,472,000＋広告宣伝10,368,000＝51,840,000

　　　　$51,840,000 \times \dfrac{7.8}{110} = 3,675,927$

　　②　その他の資産の譲渡等にのみ要するもの

　　　　修繕費　860,000

　　　　$860,000 \times \dfrac{7.8}{110} = 60,981$

　　③　共通して要するもの

　　　　通信費2,073,600＋賃借料5,529,600＝7,603,200

　　　　$7,603,200 \times \dfrac{7.8}{110} = 539,136$

(2)　個別対応方式

　　　3,675,927＋539,136×90％＝4,161,149

金額	円　4,161,149

Ⅲ　納付税額の計算

〔納付税額〕

計　算　過　程	（単位：円）
⑴　差引税額	
4,962,906－4,161,149＝801,757　→　801,700（百円未満切捨）	
⑵　納付税額	
801,700－249,200＝552,500	金　額　　　　　　　　　　　　　　　円 552,500

解　説

　③保有株式に係る配当金と④出向社員に係る給与負担金収入は、消費税の課税対象外収入となる。

Chapter 3 非課税取引Ⅱ

解答	問題 1	土地の譲渡及び貸付け等

(1) (3) (4) (5) (9) (10) (12)

解 説

(1) 土地の譲渡及び貸付けは、非課税取引となります。

(2) 1ヵ月未満の土地の貸付けは、課税取引となります。

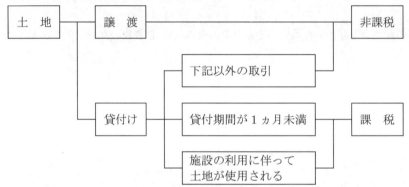

(3) 借地権等の土地の上に存する権利は土地に含まれます。そのため、借地権の譲渡は土地の譲渡に該当し、非課税取引となります。

(4)(5) 借地権に係る更新料又は名義書換料は、土地の上に存する権利の設定若しくは譲渡又は土地の貸付けの対価に該当します。そのため、非課税取引となります。

(6) 鉱業権は土地に含まれず、これを譲渡した場合には課税取引となります。

(7) 土地等の譲渡又は貸付けに係る仲介料を対価とする役務の提供は非課税取引に含まれないため、課税取引となります。

(8) 地面の整備又はフェンス、区画、建物の設置等をした上での駐車場又は駐輪場の貸付けは施設の貸付けに該当するため、課税取引となります。

(9) 更地の駐車場経営者への貸付けは土地の貸付けに該当するため、非課税取引となります。

(10)(11) 土地付建物の貸付けで、建物の貸付け等に係る対価と土地の貸付けに係る対価が区分されている場合であっても、その対価の額の合計額が建物の貸付け等の対価の額となります。そのため、建物の貸付けが住宅の貸付けの場合、非課税取引となり、建物の貸付けが事務所の貸付けの場合、課税取引となります。

(12) 電柱の敷設に係る土地の賃貸収入は、道路占有料として土地の貸付けに係る対価に該当し、非課税取引に該当します。

解答	問題2　有価証券等の譲渡

(1)　(2)　(6)　(7)　(8)

解　説

(1)(2)(6)　株式、社債券、新株予約権付社債の譲渡は有価証券の譲渡に該当し、非課税取引となります。

(3)　配当金の受け取りは、不課税取引となります。

(4)　株式の売買手数料は役務の提供の対価であるため、その受け取りは課税取引となります。

(5)　ゴルフ場利用株式等は有価証券等に含まれないため、その譲渡は課税取引となります。

(7)　貸付金、預金、売掛金その他の金銭債権は有価証券に類するものに該当し、その譲渡は非課税取引となります。

(8)　出資持分は有価証券に類するものに該当し、その譲渡は非課税取引となります。

解答	問題3　利子を対価とする金銭の貸付け等

(1)　(2)　(3)　(4)　(5)

解　説

(1)(2)(3)　社債及び貸付金の利子、手形の割引は、利子を対価とする金銭の貸付けに該当し、非課税取引となります。

(4)　信用の保証としての役務の提供は、非課税取引となります。

(5)　保険料を対価とする役務の提供は、非課税取引となります。

(6)　保険の代理店手数料は保険料を対価とする役務の提供には該当しないため、課税取引となります。

解答	問題4　その他の非課税取引

(1)　(2)　(4)　(5)　(6)　(7)　(10)　(11)　(13)　(14)

⑴　日本郵便株式会社が行う郵便切手類の譲渡は、非課税取引となります。

⑵　印紙売りさばき所が行う印紙の譲渡は、非課税取引となります。

⑶　金券ショップが行う郵便切手類の譲渡は、課税取引となります。

⑷　商品券の譲渡は物品切手等の譲渡に該当し、非課税取引となります。

⑸　登記手数料は行政手数料に該当し、その受け取りは非課税取引となります。

⑹　外国為替取引（円と外貨の両替え）は外国為替業務に係る役務の提供に該当し、非課税取引となります。

⑺　保険診療報酬の受け取りは社会保険医療等に関する資産の譲渡等に該当し、非課税取引となります。

⑻　自由診療に係る治療費の受け取りは社会保険医療等に関する資産の譲渡等に該当しないため、課税取引となります。

⑼　製薬会社の医薬品の譲渡は社会保険医療等に関する資産の譲渡等に該当しないため、課税取引となります。

⑽　介護保険法の規定に基づく居宅サービスは、非課税取引となります。

⑾　出産に係る検査、入院等の医療費の受け取りは助産に係る資産の譲渡等に該当し、非課税取引となります。

⑿　埋葬料、火葬料、埋葬許可手数料の受け取りは非課税取引となりますが、それらを除く葬儀費用の受け取りは、課税取引となります。

⒀　身体障害者用物品（車イス）の譲渡は、非課税取引となります。

⒁　学校教育法に基づく教育に関する役務の提供（授業料、入学金等）に関しては非課税取引となります。

⒂　学習塾、予備校等における役務の提供（授業料等）は、課税取引となります。

解答　問題5　**住宅の貸付け⑴**

⑵　⑹　⑺　⑻　⑾

解　説

⑴　建物の譲渡は居住用か居住用以外かにかかわらず、課税取引となります。

⑵⑶　住宅（居住用）の貸付けは、非課税取引となります。ただし、貸付期間が１ヵ月未満の場合
　　は、課税取引となります。

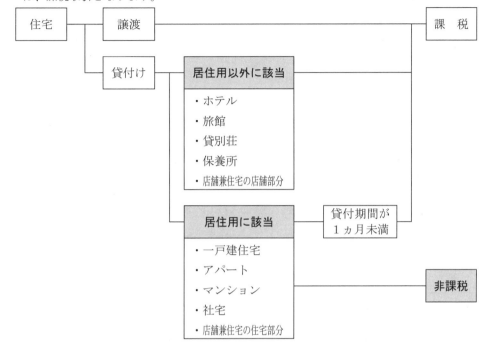

⑷⑸　店舗、別荘としての貸付けは、課税取引となります。

⑹　社宅としての貸付けは、住宅の貸付けに該当し、非課税取引となります。

⑺　住宅の貸付けに該当するか否かの判定は、賃貸借契約書に記載されている用途が居住用か否か
　　によって行うため、契約に関する当事者が法人の場合や、実態が居住の用に供していない場合に
　　おいても契約上居住用目的であることが明記されていれば非課税取引に該当します。

⑻　共益費は家賃に含まれます。そのため、居住用マンションの共益費の受け取りは、非課税取引
　　となります。

⑼　建物等の賃貸借契約の中途解約があった場合に受け取った解約金は、資産の貸付けを行ってい
　　ないことから対価性がないため、不課税取引に該当します。

⑽　建物等の賃貸借契約の締結にあたって受け取る保証金、権利金で返還を要しないものは、権利
　　の設定に係る対価であるため、資産の譲渡等の対価に該当します。なお、店舗の賃貸に係るもの
　　であるため、課税取引となります。

⑾　不動産等の明渡し遅滞により賃貸人が受け取る損害賠償金は、その実質が明渡しまでの賃貸料
　　であるため、資産の譲渡等の対価に該当します。なお、住宅の貸付けであるため、非課税取引と
　　なります。

解答	問題6　住宅の貸付け(2)

非課税売上高　　　　　　　　　　　　　　　　　　　　　　　　　　（単位：円）

　家賃収入 11,490,000 ＋共益費収入 864,000 ＋駐車場収入 1,200,000 ＝13,554,000

解　説

(2)　共益費収入は、建物等の資産の貸付けに係る対価に含まれます。そのため、オフィスビル及び店舗に係る共益費は課税売上げ、マンションに係る共益費は非課税売上げに該当します。

(3)　コインパーキング収入及び駐車場収入は施設の利用に伴う土地の貸付けに該当するため、課税売上げとなります。一方、更地として賃貸し、賃借人がアスファルトを敷設して駐車場として他の者に賃貸した場合は、更地としての土地の貸付けに該当するため非課税売上げとなります。

解答	問題7　課税取引、非課税取引、課税対象外取引

番号	(1)	(2)	(3)	(4)	(5)	(6)	(7)	(8)	(9)	(10)	(11)	(12)
解答	C	B	A	A	C	B	A	B	B	A	A	A

解　説

(2)　国外事業者への送金手数料は、外国為替業務に係る役務の提供に該当し、非課税取引となる。

(3)　郵便切手類等の譲渡の規定により非課税となる「郵便切手類」とは、郵便切手、郵便ハガキ、郵便書簡をいう。したがって、現金書留封筒は郵便切手類に該当しないため、現金書留封筒の譲渡は課税取引となる。

(4)　特許権に係る権利の設定により対価を得る行為は、資産の貸付けに該当し消費税の課税対象取引となる。

(6)　借地権に係る更新料（更改料を含む。）又は名義書換料は、土地の上に存する権利の設定若しくは譲渡又は土地の貸付けの対価に該当し、非課税取引となる。

(9)　物品切手等の譲渡が非課税取引に該当するか否かは、郵便切手類又は印紙、証紙と異なり譲渡する者の限定がない。

(11)　土地の貸付けに係る期間が 1 ヵ月に満たない場合及び駐車場その他の施設の利用に伴って土地が使用されている場合は、課税取引となる。

⑿　建物その他の施設の貸付け又は役務の提供に伴って土地を使用させた場合において、建物の貸付け等に係る対価と土地の貸付けに係る対価とに区分されているときであっても、その対価の額の合計額がその建物の貸付け等に係る対価の額となる。

| 解答 | 問題8　国内取引の非課税の理論 |

① （　　土地の譲渡及び貸付け　　）　② （　　有価証券等　　）　③ （　　保険料　　）

④ （　　郵便切手類　　）　⑤ （　　物品切手等　　）　⑥ （　　行政事務　　）

⑦ （　　外国為替業務　　）　⑧ （　　社会福祉事業　　）　⑨ （　　助産　　）

⑩ （　　埋葬料、火葬料　　）　⑪ （　　身体障害者用物品　　）　⑫ （　　教育　　）

⑬ （　　役務の提供　　）　⑭ （　　教科用図書　　）　⑮ （　　住宅の貸付け　　）

解　説

国内において行われる資産の譲渡等のうち、次のものには、消費税を課さない。

⑴　（①**土地の譲渡及び貸付け**）

⑵　（②**有価証券等**）の譲渡

⑶　利子を対価とする金銭の貸付け、（③**保険料**）を対価とする役務の提供等

⑷　（④**郵便切手類**）、印紙、証紙及び（⑤**物品切手等**）の譲渡

⑸　（⑥**行政事務**）等及び（⑦**外国為替業務**）に係る役務の提供

⑹　社会保険医療等

⑺　介護保険法による居宅サービス等及び（⑧**社会福祉事業**）等に係る資産の譲渡等

⑻　（⑨**助産**）に係る資産の譲渡等

⑼　（⑩**埋葬料、火葬料**）を対価とする役務の提供

⑽　（⑪**身体障害者用物品**）に係る資産の譲渡等

⑾　学校等の（⑫**教育**）として行う（⑬**役務の提供**）

⑿　（⑭**教科用図書**）の譲渡

⒀　（⑮**住宅の貸付け**）

解答 | 問題9 　輸入取引の非課税の理論

① 　（ 　　　外国貨物　　　 ） 　② 　（ 　消費税を課さない　 ） 　③ 　（ 　　　有価証券等　　　 ）

④ 　（ 　　郵便切手類　　 ） 　⑤ 　（ 　　　物品切手等　　　 ） 　⑥ 　（ 　身体障害者用物品　 ）

⑦ 　（ 　　教科用図書　　 ）

解 説

　保税地域から引き取られる（①**外国貨物**）のうち、次のものには、（②**消費税を課さない**）。

⑴ 　（③**有価証券等**）

⑵ 　（④**郵便切手類**）

⑶ 　印紙

⑷ 　証紙

⑸ 　（⑤**物品切手等**）

⑹ 　（⑥**身体障害者用物品**）

⑺ 　（⑦**教科用図書**）

解答 | 問題10 　納付税額の計算

Ⅰ 　課税標準額に対する消費税額の計算

〔課税標準額〕

計 　算 　過 　程 　　　　　　　　　　　　　　　（単位：円）		
商品売上79,314,096＋施設利用料2,160,000＝81,474,096 $$81,474,096 \times \frac{100}{110} = 74,067,360 \ \rightarrow \ 74,067,000 \ （千円未満切捨）$$		
	金額	円 74,067,000

〔課税標準額に対する消費税額〕

計 　算 　過 　程 　　　　　（単位：円）	金額	円
74,067,000×7.8％＝5,777,226		5,777,226

Ⅱ　仕入れに係る消費税額の計算等

〔課税売上割合〕

計　算　過　程		（単位：円）

(1)　課税売上高

　　74,067,360

(2)　非課税売上高

　　賃貸収入6,082,000＋預金利息358,640＝6,440,640

(3)　課税売上割合

　　$\dfrac{(1)}{(1)+(2)}=\dfrac{74,067,360}{80,508,000}=0.92\ <\ 95\%$

　　∴　個別対応方式

課税売上割合	74,067,360 円
	80,508,000 円

〔控除対象仕入税額〕

計　算　過　程		（単位：円）

(1)　区分経理及び税額

　①　課税資産の譲渡等にのみ要するもの

　　商品仕入51,554,700＋広告宣伝6,345,200＋発送費＝3,965,750＝61,865,650

　　$61,865,650\times\dfrac{7.8}{110}=4,386,837$

　②　その他の資産の譲渡等にのみ要するもの

　　修繕費　　796,000

　　$796,000\times\dfrac{7.8}{110}=56,443$

　③　共通して要するもの

　　交通費2,379,470＋通信費1,036,890＋その他778,260＝4,194,620

　　$4,194,620\times\dfrac{7.8}{110}=297,436$

(2)　個別対応方式

　　4,386,837＋297,436×0.92＝4,660,478

金額	4,660,478 円

Ⅲ　納付税額の計算

〔納付税額〕

計　算　過　程	（単位：円）	
(1)　差引税額 　　$5,777,226 - 4,660,478 = 1,116,748 \rightarrow 1,116,700$（百円未満切捨） (2)　納付税額 　　$1,116,700 - 407,200 = 709,500$		
	金 額	円 709,500

解　説

(1)　課税取引（課税標準額を構成する取引）

　①　商品（事務用品）売上高

　②　保養所施設利用料収入

(2)　課税対象外収入

　③　保有株式に係る配当金

　④　損害賠償金収入

(3)　非課税取引

　⑤　社員寮の賃貸料収入

　⑥　銀行預金利息

(4)　課税売上割合

$$\frac{課税売上高}{課税売上高 + 非課税売上高} = 0.XXXX\cdots \; < \; 95\% \; \Rightarrow \; 個別対応方式$$

Chapter 4　免税取引Ⅱ

解答	問題1　輸出免税等の取引の判定

(1)　(3)　(6)　(10)　(11)　(13)　(15)　(16)　(18)

解　説

(1)　本邦からの輸出として行われる資産の譲渡は輸出取引に該当するため、免税取引となります。

(2)　国外間の輸送であり国外取引となるため、輸出取引等に該当せず、免税取引となりません。なお、当該取引は不課税取引となります。

(3)　発信地が国内であるため、国内取引となります。また、国際通信は輸出取引等に該当するため、免税取引となります。

(4)(5)　旅行業者が主催する海外パック旅行に係る役務の提供は、その旅行業者と旅行者との間の包括的な役務の提供契約に基づくものであり、国内における役務の提供及び国外において行う役務の提供に区分されます。

ここで、(4)は、国内における役務の提供ですが、輸出取引等に該当しないので、免税取引となりません。なお、この取引は7.8%課税取引となります。

一方、(5)は国外における役務の提供なので、国外取引となります。そのため、輸出取引等に該当せず、免税取引となりません。なお、この取引は不課税取引となります。

(6)　受信地が国内なので、国内取引となります。また、国際通信は輸出取引等に該当するため、免税取引となります。

(7)　国内での非居住者の荷物を保管する行為は、非居住者が国内において直接便益を享受する役務の提供となるため、輸出取引等に該当せず、免税取引となりません。なお、この取引は7.8%課税取引となります。

(8)　資産の所在地が国外なので、国外取引となります。そのため、輸出取引等に該当せず、免税取引となりません。なお、この取引は不課税取引となります。

(9)　本邦からの輸出として行われる資産の譲渡ではないため、輸出取引等に該当せず、免税取引となりません。なお、この取引は7.8%課税取引となります。輸出ではなく、輸出業者への販売であることに注意してください。

(10)　輸入許可前の貨物（外国貨物）を国内の取引先に譲渡する行為は輸出取引等に該当するため、免税取引となります。

(11)(18)　国外で購入した貨物を国内の保税地域に陸揚げし、輸入手続を経ないで再び国外へ譲渡する場合には、外国貨物の積戻しの規定により内国貨物を輸出する場合の手続期規定が準用され、免税取引となります。

(12)　登録地が国外であるため、国外取引となり、免税取引には該当しません。なお、この取引は不課税取引となります。

(13)　著作権の貸付けは、貸付けを行う者の住所地で国内取引の判定を行います。そのため、この取引は国内取引となります。また、非居住者に対する無形固定資産の貸付けであるため、免税取引となります。

(14)　国内に所在する資産の貸付けであり、保税地域における貨物に係る役務の提供ではないことから、輸出取引等には該当せず、免税取引となりません。なお、この取引は7.8%課税取引となります。

(15)　外国貨物の保管は外国貨物に係る役務の提供であり、輸出取引等に該当するため、免税取引となります。

(16)　内国貨物に係る役務の提供でも、指定保税地域内で行われる役務の提供である場合には、輸出取引等に該当するため、免税取引となります。

(17)　輸入許可後の貨物（内国貨物）を、国内の取引先に譲渡しているため、輸出取引等に該当せず、免税取引となりません。なお、この取引は7.8%課税取引となります。

(19)　外国法人に対する役務の提供ですが、外国法人の支店等が国内にあるため、輸出取引等に該当せず、7.8%課税取引となります。

(20)　非居住者に対する役務の提供で、国内で直接便益を享受するものに該当するため、輸出取引等に該当せず、7.8%課税取引となります。

(21)　非居住者に対する医療（自由診療）は、非居住者に対する役務の提供で国内で直接便益を享受するものに該当するため、輸出取引等に該当せず、7.8%課税取引となります。

解答　**問題2　輸出免税等**

輸出免税売上高　　　　　　　　　　　　　　　　　　　　　　　　　（単位：円）
　輸出売上高（174,519,100＋2,678,900）＋その他売上高618,000＝177,816,000

解　説

(1)①　外国貨物を保税地域内で組み立て輸出した売上高は、本邦からの輸出として行われる資産の譲渡に該当するため、免税取引となります。

　②　国内で代金を受領し、国外支店に納品する取引は、本邦からの輸出として行われる資産の譲渡に該当するため、免税取引となります。

(2)　C社は国内に営業所等を有していないことから、C社は非居住者に該当するため、この情報の提供は、非居住者に対する役務の提供に該当し、免税取引となります。

Ch 1

Ch 2

Ch 3

Ch 4

Ch 5

Ch 6

Ch 7

Ch 8

Ch 9

Ch 10

Ch 11

Ch 12

Ch 13

Ch 14

Ch 15

Ch 16

解答	問題3 輸出免税等の理論

① （ 課税資産の譲渡等 ） ② （ 輸出取引等 ） ③ （ 免除する ）

④ （ 証明 ）

解 説

⑴ 内容

事業者（免税事業者を除く。）が国内において行う（①**課税資産の譲渡等**）のうち、（②**輸出取引等**）に該当するものについては、消費税を（③**免除する**）。

⑵ 輸出証明

この規定は、その（①**課税資産の譲渡等**）が（②**輸出取引等**）に該当するものであることにつき（④**証明**）がされたものでない場合には適用しない。

解答	問題4 輸出取引等の応用理論

⑴について

（選択欄） 課税取引 非課税取引 ⓪免税取引 左記以外（不課税取引）
（理由等）
本問は、直接国外の本社と契約しており、調査報告書も本社に対してデータ伝送を行っていることから、国内において直接便益を享受するものでないため、輸出取引等に該当し、免税取引となる。

⑵について

（選択欄） ⓪課税取引 非課税取引 免税取引 左記以外（不課税取引）
（理由等）
本問は、国内において飲食を提供していることから輸出取引等に該当せず、課税取引となる。

本試験における理論問題では、具体的な取引をあげ、その判断の過程について問われる問題が出題されることがあります。

このような問題が出題された場合は、計算問題を解く要領で与えられた取引を分類し、その思考過程を文章で説明していきます。

具体的には以下のプロセスで解答を作成していきます。

(1) 結論を考える

与えられた取引が計算問題を解く上で 7.8%課税取引、免税取引、非課税取引、不課税取引のどれに該当するのかを考えます。

(2) 判断過程を考える

(1)で判断した根拠を下記の取引分類の過程を踏まえて考えていきます。

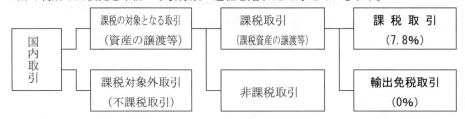

（取引の判断ポイント）

① 課税の対象に含まれるか？ （国内取引に該当するか）

→ 国内取引の判定をどのように行うのか？

② 非課税取引に該当するか？ → 13 項目の限定列挙に含まれるか？

③ 免税取引に該当するか？ → 輸出取引等の範囲に含まれるか？

(3) 解答を作成する

上記（取引の判断ポイント）の順に、その取引が導き出されるまでの判断過程を説明し、(1)で考えた結論を記載します。

解答 問題5 輸出物品販売場における免税

(1) (2) (6)

解 説

(1) 免税購入対象者に対する通常生活の用に供する物品の譲渡であって、対価の額の合計額が5千円以上であるため免税取引に該当します。

⑵　免税購入対象者に対する通常生活の用に供する物品の譲渡のうち消耗品であって、対価の額の合計額が 5 千円以上であるため免税取引に該当します。

⑶　免税購入対象者に対する通常生活の用に供する物品の譲渡にはあたりますが、対価の額の合計額が 5 千円未満なので、免税取引には該当しません。なお、この取引は 7.8%課税取引となります。

⑷⑸　居住者に対する通常生活の用に供する物品の譲渡なので、免税取引には該当しません。なお、この取引は 7.8%課税取引となります。

⑹　居住者に対する通常生活の用に供する物品の譲渡であったとしても、居住者が渡航先で贈答するために出国の際携帯する 1 万円超の物品で帰国若しくは再入国時に携帯しないことが明らかなものは、海外旅行者にその物品を譲渡した事業者が輸出したものとされます。したがって、免税取引に該当します。

⑺　免税購入対象者に対する通常生活の用に供する物品の譲渡であって、対価の額の合計額が 5 千円以上であったとしても事業用の器具や販売用として大量に購入した物品は免税取引には該当しません。なお、この取引は 7.8%課税取引となります。

解答	問題 6　取引区分のまとめ問題

7.8%課税取引	⑸　　⑺　　⑿　　⒀　　⒃　　⒅　　⒇　　⒇　　⒇
免税取引	⑴　　⑾　　⒇
非課税取引	⑼　　⑽　　⒂　　⒄　　⒆
不課税取引	⑵　　⑶　　⑷　　⑹　　⑻　　⒁

解　説

⑴　課税資産の輸出販売は、免税取引に該当します。

⑵　資産の譲渡が行われた時における資産の所在地が国外であるため、国外取引となり不課税取引に該当します。

⑶　対価を得ていないため、不課税取引に該当します。

⑷　対価を得ていないため、不課税取引に該当します。

⑸　自社の役員に対する贈与はみなし譲渡となり、譲渡した資産が課税資産であるため、7.8%課税取引に該当します。

⑹　対価を得ていないため、不課税取引に該当します。

⑺　権利の登録をした機関の所在地が国内であるため国内取引に該当し、居住者に対する貸付けであるため 7.8%課税取引に該当します。

(8) 株式の配当金の受け取りは、不課税取引に該当します。

(9) 利息の受け取りは、非課税取引に該当します。

(10) 社宅の貸付けは住宅の貸付けとなり、非課税取引に該当します。

(11) 外国貨物（輸入許可前の貨物）を国内の取引先に譲渡する場合、免税取引に該当します。

(12)(13) 保養所の貸付けは住宅の貸付けではないため、7.8％課税取引に該当します。

(14) 無償の貸付けは対価を得ていない取引であるため、不課税取引に該当します。なお、自社の役員に対するものであってもみなし譲渡には該当しません。

(15) 土地の譲渡は、非課税取引に該当します。

(16) 貸付期間が1ヵ月未満の土地の貸付けは、7.8％課税取引に該当します。

(17) 貸付期間1ヵ月以上の国内の土地の貸付けは、非課税取引に該当します。

(18) 施設の利用に伴う土地の利用は、土地の貸付けではないため、7.8％課税取引に該当します。

(19) 当社は駐車場を貸し付けているのではなく、更地である土地を貸し付けているため、非課税取引に該当します。

(20) 仲介手数料は役務の提供の対価となるため、7.8％課税取引に該当します。

(21) 事業者が、国内にある外国の大使館等又は外国の大使等に対して、外交等の任務を遂行するために必要な課税資産の譲渡等を行った場合には、消費税が免除されます。（措法86）

(22)(23) ゴルフクラブ、宿泊施設その他レジャー施設の利用又は一定の割引率で商品等を販売するなど会員に対する役務の提供を目的とする事業者が会員等の資格を付与することと引換えに収受する入会金（返還しないもの）は、資産の譲渡等の対価に該当します。

解答	問題7　輸出物品販売場における免税の理論(1)

① （ 輸出物品販売場を経営する事業者 ） ② （ 免税購入対象者 ） ③ （ 金 ）

④ （ 白金 ） ⑤ （ 通常生活の用 ） ⑥ （ 50万円 ）

⑦ （ 購入 ） ⑧ （ 免除 ）

解　説

（①輸出物品販売場を経営する事業者）が（②免税購入対象者）に対し、免税対象物品（（③金）又は（④白金）の地金その他（⑤通常生活の用）に供しないもの並びに一定の消耗品にあっては、一定の合計額が（⑥50万円）を超えるもの以外の物品をいう。）で輸出するため一定の方法により（⑦購入）されるものの譲渡を行った場合には、その物品の譲渡については、消費税を（⑧免除）する。

解答	問題8　輸出物品販売場における免税の理論(2)

問1

事業者（免税事業者を除く。）の経営する販売場であって免税購入対象者に対し免税対象物品で一定の方法により購入されるものの譲渡をすることができるものとして、その納税地の所轄税務署長の許可を受けた販売場をいう。

問2

①	輸出するために購入される物品のうち通常生活の用に供するものであること
②	税抜対価の額の合計額が一般物品、消耗品それぞれ5千円以上であること

問3

①	輸出物品販売場を経営する事業者が、書類又は電磁的記録を保存していないことで、既に消費税が課されている場合
②	国内で免税により購入した物品を譲渡したことで、既に消費税が課されている場合
③	災害その他やむを得ない事情により物品を亡失したため輸出しないことにつき税関長の承認を受けた場合

解　説

問1

　　輸出物品販売場とは、事業者（免税事業者を除く。）の経営する販売場であって、免税購入対象者に対し免税対象物品で一定の方法により購入されるものの譲渡をすることができるものとして、その納税地の所轄税務署長の許可を受けた販売場のことです。

問2

　　輸出物品販売場で譲渡した物品で免税取引の対象となるものの範囲は、以下の要件を満たすものです。

対象物品	①	輸出するために購入される物品のうち**通常生活の用に供するもの**であること
	②	税抜対価の額の合計額が**一般物品、消耗品それぞれ5千円以上**であること

問3

　輸出物品販売場において免税により物品を購入した免税購入対象者がその物品を輸出しない場合には、出港地の税関長は、その免税購入対象者から直ちに消費税を徴収しなければなりません。

　ただし、以下に掲げる場合には、徴収を免除されます。

免除される場合	①　輸出物品販売場を経営する事業者が、書類又は電磁的記録を保存していないことで、既に消費税が課されている場合
	②　国内で免税により購入した物品を譲渡したことで、既に消費税が課されている場合
	③　災害その他やむを得ない事情により物品を亡失したため輸出しないことにつき税関長の承認を受けた場合

Chapter 5　課税標準及び税率Ⅱ

解答	問題1　低額譲渡・みなし譲渡

課税標準額 　　　　　　　　　　　　　　　　　　　　　　　　　　　（単位：円）

190,000＋120,000＋（※1）150,000＋（※2）300,000＋（※3）210,000＋（※4）170,000

＋200,000＝1,340,000

$1,340,000 \times \dfrac{100}{110} = 1,218,181 \rightarrow 1,218,000$（千円未満切捨）

（※1）　役員に対する低額譲渡[01]

　　　　150,000 ≧ 120,000

　　　　150,000 ≧ 300,000×50％＝150,000

　　　∴　低額譲渡に該当しない

（※2）　役員に対する低額譲渡[01]

　　　　90,000 ＜ 120,000

　　　∴　低額譲渡に該当する　　∴　300,000

（※3）　役員に対する低額譲渡[01]

　　　　210,000 ≧ 320,000×50％＝160,000

　　　∴　低額譲渡に該当しない

（※4）　役員に対するみなし譲渡[01]

　　　　120,000 ＜ 340,000×50％＝170,000

　　　∴　170,000

[01]　低額譲渡やみなし譲渡の判定は、解答の計算根拠となる部分ですので、答案用紙に記載します。

解 説

(1)　資産の譲渡等の対価の額は、通常の販売価額ではなく、その譲渡等に係る当事者間で授受することとした対価の額となります。

(2)　低額譲渡は自社の役員に譲渡した場合をいい、従業員に対する譲渡は低額譲渡になりません。

(3)(4)(5)　低額譲渡は、以下の要件を満たすか否かにより判定します。低額譲渡に該当する場合、通常の販売価額（時価）に相当する金額を課税標準とします。

棚卸資産	譲渡対価 ＜ 課税仕入れに係る金額 又は 譲渡対価 ＜ 通常の販売価額×50%
棚卸資産以外の資産	譲渡対価 ＜ 譲渡時の価額（時価）×50%

⑹ みなし譲渡は、自社の役員に贈与した場合をいい、従業員に対する贈与はみなし譲渡になりません。

⑺⑻ みなし譲渡に該当する場合の課税標準は、以下のようになります。

棚卸資産	通常の販売価額×50% 又は 課税仕入れに係る金額 } いずれか大きい金額
棚卸資産以外の資産	譲渡時の価額（時価）

解答	問題2　資産の譲渡等に類する行為

課税標準額　　　　　　　　　　　　　　　　　　　　　　　　　（単位：円）

$(200,000+6,000)+120,000+600,000+(400,000-50,000)=1,276,000$

$1,276,000×\dfrac{100}{110}=1,160,000$（千円未満切捨）

解 説

⑴ 代物弁済による資産の譲渡は、以下の金額を対価の額とします。

対価の額	代物弁済により消滅する債務の額に相当する金額 ・差金の受取りがある場合 　代物弁済により消滅する債務の額＋受け取った金銭の額 ・差金の支払いがある場合 　代物弁済により消滅する債務の額－支払った金銭の額

⑵ 負担付き贈与による資産の譲渡は、以下の金額を対価の額とします。

対価の額	その負担付き贈与に係る負担の価額に相当する金額

　　　　※　本問における「負担」とは借入金となります。

⑶ 現物出資による資産の譲渡は、以下の金額を対価の額とします。

対価の額	その出資により取得する株式の取得時における価額に相当する金額

(4) 交換による資産の譲渡は、以下の金額を対価の額とします。

対価の額	交換により取得する資産の取得の時における価額に相当する金額 ・交換差金の受取りがある場合 　取得資産の時価＋受け取った金銭の額 ・交換差金の支払いがある場合 　取得資産の時価－支払った金銭の額

解答 　問題3　一括譲渡・その他

(1)　課税標準額　　　　　　　　　　　　　　　　　　　　　　　　　（単位：円）

$$1,000,000 \times \frac{2}{2+8} + (48,000,000+30,000) + (215,000-15,000)$$

$$+ (200,000+10,000) + 300,000+80,000 = 49,020,000$$

$$49,020,000 \times \frac{100}{110} = 44,563,636 \rightarrow 44,563,000 \text{（千円未満切捨）}$$

(2)　課税標準額に対する消費税額

$$44,563,000 \times 7.8\% = 3,475,914$$

解説

(1)　一括譲渡

　　課税資産と非課税資産が合理的に区分されている場合、その区分された金額をもってそれぞれの対価の額とします。

　　課税資産と非課税資産が合理的に区分されていない場合、以下の金額を対価の額とします。

一括譲渡の対価の額 × $\dfrac{課税資産の価額}{課税資産の価額＋非課税資産の価額}$

(2)　未経過固定資産税

　　資産について課された固定資産税について、譲渡時に未経過分がある場合、その未経過分に相当する金額を資産の譲渡の対価とは別に受け取ったとしても、<u>未経過分に相当する金額はその資産の譲渡の対価に含まれます</u>。

(3)　ゴルフ場利用税

　　ゴルフ場利用税等の個別消費税は対価の額に含めません。

(4)　資産の貸付けに伴う共益費

　　建物等の資産の貸付けに際し賃貸人がその賃借人から収受する電気、ガス、水道料等の実費に相当する<u>共益費は、建物等の資産の貸付けに係る対価に含まれます</u>。

(5) 下取り

　　下取りを行った場合は、資産の交換のケースと同様に取得した新車両の時価から、支払った現金の額を控除した金額（下取価額）が対価の額となります。

(6) 譲渡等に係る対価が確定していない場合の見積り

　　資産の譲渡等をした日の属する課税期間の末日までにその対価の額が確定していないときは、その金額を適正に見積ります。確定額と見積額との差額は、確定した日の属する課税期間の資産の譲渡等の対価の額に加減します。

| 解答 | 問題4　低額譲渡 |

課税標準額　　　　　　　　　　　　　　　　　　　　　　　　　　（単位：円）

$$210,000 + (※)\ 315,000 = 525,000$$

$$525,000 \times \frac{100}{110} = 477,272 \rightarrow 477,000\ （千円未満切捨）$$

　(※)　役員に対する低額譲渡

　　　　$150,000 < 315,000 \times 50\% = 157,500$

　　　∴　低額譲渡に該当　　∴　315,000

| 解　説 |

(1)　現金過不足残高は、現金の実査と帳簿残高の差額であるため、資産の譲渡等の対価に該当せず不課税取引となります。したがって、課税標準額の計算には含めません。

(2)　借上社宅に係る従業員からの賃貸収入は、住宅の貸付けの対価であるため、非課税売上げとなります。したがって、課税標準額の計算には含めません。

(4)　法人の役員に対する資産の譲渡で、かつ、対価の額が譲渡時の価額に比し著しく低い場合に該当し、低額譲渡となります。したがって、通常の販売価額である315,000円を課税標準額の計算に含めます。

※　低額譲渡の判定

棚卸資産	譲渡対価 ＜ 課税仕入れに係る金額 又は 譲渡対価 ＜ 通常の販売価額×50%
棚卸資産以外の資産	譲渡対価 ＜ 譲渡時の価額（時価）×50%

　　(注)　低額譲渡に該当する場合は、通常の販売価額（時価）を課税標準とします。

| 解答 | | 問題5　売上げに計上すべき金額 |

(1)	課 税 売 上 げ	60,000,000 円
(2)	課 税 売 上 げ	100,000,000 円
	非課税売上げ	150,000,000 円
(3)	非課税売上げ	100,000 円
(4)	課 税 売 上 げ	8,000,000 円
	非課税売上げ	31,000,000 円
(5)	課 税 売 上 げ	450,000 円
(6)	課 税 売 上 げ	300,000 円
(7)	課 税 売 上 げ	1,081,200 円
	非課税売上げ	20,009,800 円
(8)	課 税 売 上 げ	4,000,000 円
(9)	課 税 売 上 げ	5,000,000 円
	非課税売上げ	14,000,000 円

解　説　（単位：円）

(1)　負担付き贈与による資産の譲渡

$60,000,000 \geqq 100,000,000 \times 50\% = 50,000,000$

∴　低額譲渡に該当しない

(2)　土地付建物の一括譲渡

課税売上げ（建物譲渡対価）　$250,000,000 \times \dfrac{4}{4+6} = 100,000,000$

非課税売上げ（土地譲渡対価）　$250,000,000 \times \dfrac{6}{4+6} = 150,000,000$

(3)　貸付金その他の金銭債権の譲受けその他の承継

弁済を受けた金額 $1,000,000$ －金銭債権の取得価額 $900,000$ ＝受取利息 $100,000$

(4)　収用等による所有権等の消滅

課税売上げ（建物対価補償金）　　8,000,000

非課税売上げ（土地対価補償金）　31,000,000

(5)　事業付随行為

(6)　事業付随行為

(7) 未経過固定資産税

　　課 税 売 上 げ　　　建物譲渡対価 1,080,000＋未経過固定資産税 1,200＝1,081,200

　　非課税売上げ　　　土地譲渡対価 20,000,000＋未経過固定資産税 9,800＝20,009,800

(8) 代物弁済による資産の譲渡

　　課税売上げ　　　消滅する債務の額 4,000,000

(9) 課税資産と非課税資産の一括交換

　　課税売上げ（建物の交換による譲渡）

$$(13,000,000＋4,000,000＋2,000,000) \times \frac{5,000,000}{5,000,000＋14,000,000}＝5,000,000$$

　　非課税売上げ（土地の交換による譲渡）

$$(13,000,000＋4,000,000＋2,000,000) \times \frac{14,000,000}{5,000,000＋14,000,000}＝14,000,000$$

　　(注)　交換差金

　　　　　　交換差金の受取り　→　加算

　　　　　　交換差金の支払い　→　減算

解答	問題6　その他

> **(1)　課税標準額**　　　　　　　　　　　　　　　　　　　　（単位：円）
>
> 　　建物販売収入　　　470,413,938＋47,041,394＝517,455,332
>
> 　　$517,455,332 \times \dfrac{100}{110}＝470,413,938 → 470,413,000$（千円未満切捨）
>
> **(2)　非課税売上高**
>
> 　　395,069,980＋1,007,835＝396,077,815

解　説

(1)　新築住宅の分譲販売収入のうち建物部分の金額を課税標準額に計上します。また、税抜経理方式を採用している場合には、仮受消費税等を譲渡対価に加算し、税込金額に戻して計算します。

(2)　未経過固定資産税は土地の販売代金の一部を構成するため、資産の譲渡の対価の額に含まれます。なお、固定資産に係る未経過固定資産税は、その対象としている資産の種類に従って取引を分類します。

解答	問題 7　課税標準額に対する消費税額(1)

(1)　割戻し計算

(1)　課税標準額　　　　　　　　　　　　　　　　　　　　　　　　　（単位：円）

①　標準税率適用分

$$45,328,000 \times \frac{100}{110} = 41,207,272 \rightarrow 41,207,000（千円未満切捨）$$

②　軽減税率適用分

$$37,412,000 \times \frac{100}{108} = 34,640,740 \rightarrow 34,640,000（千円未満切捨）$$

③　合計

①＋②＝75,847,000

(2)　課税標準額に対する消費税額

①　標準税率適用分

41,207,000 × 7.8％＝3,214,146

②　軽減税率適用分

34,640,000 × 6.24％＝2,161,536

③　合計

①＋②＝5,375,682

(2)　積上げ計算

(1)　課税標準額　　　　　　　　　　　　　　　　　　　　　　　　　（単位：円）

①　標準税率適用分

45,328,000－4,120,727＝41,207,273 → 41,207,000（千円未満切捨）

②　軽減税率適用分

37,412,000－2,771,259＝34,640,741 → 34,640,000（千円未満切捨）

③　合計

①＋②＝75,847,000

(2)　課税標準額に対する消費税額

①　標準税率適用分

$$4,120,727 \times \frac{78}{100} = 3,214,167$$

②　軽減税率適用分

$$2,771,259 \times \frac{78}{100} = 2,161,582$$

③　合計

①＋②＝5,375,749

解　説

(1) 課税標準額の計算は、標準税率適用分と軽減税率適用分を別々に計算し、それぞれごとに千円未満切捨ての端数処理を行います。

(2) 課税標準額に対する消費税額の計算は、割戻し計算と積上げ計算の方法があります。

① 割戻し計算

　税率の異なるごとに区分した課税標準額につき、税率の異なるごとに標準税率又は軽減税率を乗じて算出した金額を合計する方法により算出する方法

② 積上げ計算

　課税期間中に国内において行った課税資産の譲渡等につき交付した適格請求書又は適格簡易請求書の写しを保存している場合には、その適格請求書等に記載した消費税額等の金額を基礎として一定の方法により計算する方法

解答	問題8　課税標準額に対する消費税額(2)

(1) 課税標準額　　　　　　　　　　　　　　　　　　　　　　　　　　（単位：円）

① 標準税率適用分

雑貨売上高 9,364,000 ＋備品売却 61,600 ＝ 9,425,600

$9,425,600 \times \dfrac{100}{110} = 8,568,727 \rightarrow 8,568,000$（千円未満切捨）

② 軽減税率適用分

飲食料品売上高　　28,902,000

$28,902,000 \times \dfrac{100}{108} = 26,761,111 \rightarrow 26,761,000$（千円未満切捨）

③ 合計

①＋②＝35,329,000

(2) 課税標準額に対する消費税額

① 標準税率適用分

8,568,000 × 7.8％ ＝ 668,304

② 軽減税率適用分

26,761,000 × 6.24％ ＝ 1,669,886

③ 合計

①＋②＝2,338,190

解　説

取　　引	税率
飲食料品の売上げ	軽減税率（6.24%）
雑貨の売上げ	標準税率（7.8%）
備品の売却	標準税率（7.8%）

解答　問題9　国内取引の課税標準の理論(1)

①　（ 課税資産の譲渡等の対価の額 ）　②　（　役員　）　③　（　対価の額　）

④　（　資産の価額　）　⑤　（　価額　）　⑥　（　消費又は使用の時　）

⑦　（　贈与の時　）

解　説

⑴　原則

　　課税資産の譲渡等に係る消費税の課税標準は（**①課税資産の譲渡等の対価の額**）とする。

⑵　低額譲渡

　　法人が資産をその（**②役員**）に譲渡した場合において、その（**③対価の額**）がその譲渡の時におけるその（**④資産の価額**）に比し著しく低いときは、その（**⑤価額**）に相当する金額を（**③対価の額**）とみなす。

⑶　資産の譲渡とみなす行為

　①　個人事業者が棚卸資産等の事業用資産を家事のために消費し、又は使用した場合におけるその消費又は使用については、その（**⑥消費又は使用の時**）におけるその資産の価額に相当する金額を対価の額とみなす。

　②　法人が資産をその役員に対して贈与した場合におけるその贈与については、その（**⑦贈与の時**）におけるその資産の価額に相当する金額を対価の額とみなす。

① （　　　個別消費税額　　　）　② （　　　　　関税額　　　　　）

解　説

輸入取引に係る課税標準＝関税課税価格＋（①個別消費税額）＋（②関税額）

解答　問題11　国内取引の課税標準の理論(2)

> 中古建物の譲渡は、課税資産の譲渡等に該当することから、その譲渡対価の額を課税標
> 準額に計上する。なお、Ａが収受した固定資産税の未経過相当額は、建物の譲渡対価の一
> 部を構成することから建物の譲渡対価とあわせて課税標準額に計上する。

解　説

　固定資産税の課税の対象となる資産（建物）の譲渡に伴い、その資産（建物）に対して課された固定資産税について譲渡の時において未経過分がある場合で、その未経過分に相当する金額をその資産（建物）の譲渡について収受する金額とは別に収受している場合であっても、その未経過分に相当する金額はその資産（建物）の譲渡の金額に含まれる。（基通10－1－6）

Chapter 6　納税義務者 Ⅱ

解答	問題 1　納税義務者の原則の理論

国内取引	事業者は、国内において行った課税資産の譲渡等につき、消費税を納める義務がある。
輸入取引	外国貨物を保税地域から引き取る者は、課税貨物につき、消費税を納める義務がある。

解　説

消費税では、国内取引と輸入取引に分けてそれぞれ納税義務を規定しています。

国内取引では「事業者」を納税義務者としているのに対し、輸入取引では事業を行っているか否かにかかわらず、「外国貨物を保税地域から引き取る者」を納税義務者としています。

解答	問題 2　納税義務の有無の判定(1)

〔基準期間における課税売上高の計算〕　　　　　　　　　　　　　　　　　　　（単位：円）

(1)　$\{(10,400,000-2,000,000)+300,000\} \times \dfrac{100}{110} +2,000,000=9,909,090$

(2)　$(372,000-57,000) \times \dfrac{100}{110} +57,000=343,363$

(3)　(1)－(2)＝9,565,727

　　　$9,565,727 \leqq 10,000,000$　　　∴　納税義務なし

解　説

基準期間における課税売上高を計算する際には、何を計算に含めるかを適切に分類できるかがポイントです。

受取利息は非課税取引であるため、(4)50,000円は課税売上げの合計額に含めません。

一方、ゴルフ場利用株式等の売却は課税取引に該当するので、(5)300,000円は課税売上げの合計額に含めます。ゴルフ場利用株式等は、消費税法上の有価証券には含まれず、その売却は非課税取引とはなりません。

なお、基準期間における課税売上高の計算上、売上値引や売上割引等の課税売上げの返還等は計算に影響しますが、貸倒損失は影響しません。

(1) 基準期間における課税売上高

① 総課税売上高（税抜）

課税売上げの合計額（税込）× $\dfrac{100}{110}$ ＋免税売上げの合計額

② 課税売上げに係る返還等の金額（税抜）

$\left(\begin{matrix} \text{国内課税売上げに係る} \\ \text{返還等の金額（税込）} \end{matrix} - \begin{matrix} \text{国内課税売上げに係る} \\ \text{返還等の金額（税込）} \end{matrix} × \dfrac{7.8}{110} × \dfrac{100}{78} \right) + \begin{matrix} \text{免税売上げに係る} \\ \text{返還等の金額} \end{matrix}$

$\longmapsto$ 国税 7.8%の税額 $\longleftarrow$

$\longmapsto$ 国税 7.8％＋地方税 2.2%
　　　＝10%の税額 $\longleftarrow$

③ 基準期間における課税売上高

①－②

上記②の課税売上げに係る返還等の金額（税抜き）は、次の算式により計算することもできます。（本問の解答はこの計算方法で計算しています。）

国内課税売上げに係る返還等の金額（税込）× $\dfrac{100}{110}$ ＋免税売上げに係る返還等の金額

(2) 納税義務の有無の判定

〔判定式〕

基準期間における課税売上高　　×××円 ＞ 1,000万円　　∴　納税義務あり

　　　　　　　　　　　　　　　　≦ 1,000万円　　∴　納税義務なし

| 解答 | 問題3　納税義務の有無の判定(2) |

	基準期間における課税売上高	納税義務の有無の判定	
〔ケース①〕	10,309,080 円	ⓐり	な　し
〔ケース②〕	10,425,444 円	ⓐり	な　し
〔ケース③〕	9,702,000 円	あ　り	なⓛ

解説 （単位：円）

ケース①

(1) 基準期間

① 原則（前々事業年度）

令和5年8月1日〜令和6年5月31日…10月 ＜ 1年

② 特則

その事業年度開始の日（令和7年4月1日）の2年前の日（令和5年4月2日）の前日（令和5年4月1日）から同日以後1年を経過する日（令和6年3月31日）の間に開始した事業年度 ⇒ 令和5年8月1日〜令和6年5月31日（10月）

⑵ 基準期間における課税売上高

$$9,450,000 \times \frac{100}{110} = 8,590,909 \text{ 円}$$

$$\frac{8,590,909}{10 \text{ 月}} \times 12 \text{ 月} = 10,309,080 \,(8,590,909 \div 10 \text{ 月} = 859,090 \,、\, 859,090 \times 12 \text{ 月} = 10,309,080)$$

$$10,309,080 > 10,000,000 \quad \therefore \quad \text{納税義務あり}$$

ケース②

⑴ 基準期間

① 原則（前々事業年度）

令和5年10月1日〜令和6年3月31日…6月 ＜ 1年

② 特則

その事業年度開始の日（令和7年4月1日）の2年前の日（令和5年4月2日）の前日（令和5年4月1日）から同日以後1年を経過する日（令和6年3月31日）の間に開始した事業年度 ⇒ 令和5年10月1日〜令和6年3月31日（6月）

⑵ 基準期間における課税売上高

$$5,734,000 \times \frac{100}{110} = 5,212,727$$

$$\frac{5,212,727}{6 \text{ 月}} \times 12 \text{ 月} = 10,425,444 \,(5,212,727 \div 6 \text{ 月} = 868,787 \,、\, 868,787 \times 12 \text{ 月} = 10,425,444)$$

$$10,425,444 > 10,000,000 \quad \therefore \quad \text{納税義務あり}$$

ケース③

⑴ ×1期

① 基準期間における課税売上高

設立事業年度のため基準期間がない事業年度

② 新設法人の納税義務の免除の特例

資本金　8,000,000 ＜ 10,000,000

∴ 新設法人に該当しない

∴ 納税義務なし

⑵ ×2期

① 基準期間における課税売上高

設立2期目のため基準期間がない事業年度

② 新設法人の納税義務の免除の特例

資本金　8,000,000 ＜ 10,000,000

∴　新設法人に該当しない

∴　納税義務なし

(3)　×3期

① 基準期間における課税売上高

8,085,000 ≦ 10,000,000　　∴納税義務なし

※　前々事業年度にあたる×1期が免税事業者のため税抜計算不要

(4)　×4期

① 基準期間における課税売上高

9,702,000 ≦ 10,000,000　　∴納税義務なし

※　前々事業年度にあたる×2期が免税事業者のため税抜計算不要

解答　問題4　納税義務の有無の判定(3)

〔基準期間における課税売上高の計算〕　　　　　　　　　　　　　　（単位：円）

(1)　$(145,700,000 - 35,300,000 - 12,300,000) \times \dfrac{100}{110} + 12,300,000$

$= 101,481,818$

(2)　$(9,550,000 - 1,150,000) \times \dfrac{100}{110} + 1,150,000 = 8,786,363$

(3)　(1)−(2)＝92,695,455

92,695,455 ＞ 10,000,000　　∴　納税義務あり

解　説

「Ⅰ資産の譲渡等の金額」の中には、非課税取引に係るもの及び免税取引に係るものが含まれています。これらを適切に処理して基準期間における課税売上高を計算します。

なお、総課税売上高の計算上、非課税取引に係るものは、$\dfrac{100}{110}$ を乗じる前に資産の譲渡等の金額から差し引きますが、免税取引に係るもののようにその後加算しません。

解答	問題 5　納税義務の有無の判定(4)

〔基準期間における課税売上高の計算〕　　　　　　　　　　　　　（単位：円）

(1)　$\{(26,750,000-5,200,000)+500,000\} \times \dfrac{100}{110} +5,200,000$

　　　$=25,245,454$

(2)　$(2,730,000-630,000) \times \dfrac{100}{110} +630,000=2,539,090$

(3)　(1)－(2)＝22,706,364

　　　22,706,364 ＞ 10,000,000　　∴　納税義務あり

解　説

　納税義務の有無の判定は、当課税期間の前々事業年度である×2期を基準期間として行います。

　なお、基準期間である×2期の開始は2年前ではありませんが、1年あるので原則どおり前々事業年度の×2期が基準期間となります。

　株式の売却収入、受取利息は非課税取引であるため、基準期間における課税売上高の計算では考慮しません。

解答	問題 6　納税義務の有無の判定(5)

〔基準期間における課税売上高の計算〕　　　　　　　　　　　　　（単位：円）

(1)　$\{(13,675,086-10,987,600)+(※)13,000,000\} \times \dfrac{100}{110} =14,261,350$

　　(※)　事業譲渡

　　　　$127,000,000 \times \dfrac{建物2,600,000＋棚卸資産2,400,000＋営業権8,000,000}{土地60,000,000＋建物2,600,000＋売掛金42,000,000＋棚卸資産2,400,000＋差入保証金2,000,000＋丙社株式10,000,000＋営業権8,000,000}$

　　　　$=13,000,000$

(2)　$(50,780-1,000) \times \dfrac{100}{110} =45,254$

(3)　(1)－(2)＝14,216,096

　　　14,216,096 ＞ 10,000,000　　∴　納税義務あり

　事業譲渡は事業に係る資産、負債の一切を含めて譲渡する契約です。そのため、資産の譲渡については、課税資産と非課税資産の一括譲渡と捉え、課税資産と非課税資産の対価の額を合理的に区分してそれぞれに係る対価の額を求めます。

　甲社は、ペットの卸売部門の事業譲渡を行っているため、棚卸資産（ペット）は課税資産となります。また、建物や営業権も課税資産であるため、課税売上げの計算に含めます。

解答　問題7　納税義務の有無の判定の理論

①	（　　個人事業者　　）	②	（　　　法人　　　）	③	（　　基準期間　　）
④	（　1,000万円以下　）	⑤	（　　前々年　　）	⑥	（　前々事業年度　）
⑦	（　免税事業者　）	⑧	（　課税事業者　）		

※①と②は順不同

解　説

　事業者、すなわち（①**個人事業者**）及び（②**法人**）は、国内において行った課税資産の譲渡等について納税義務者となる。

　ただし、（③**基準期間**）における課税売上高が（④**1,000万円以下**）である小規模事業者（適格請求書発行事業者を除く。）は、納税事務の負担が大きいことや税収への影響が小さいことを考慮して、国内取引において行った課税資産の譲渡等について納税義務が免除される。ここで（③**基準期間**）とは、個人事業者の場合は（⑤**前々年**）、法人の場合は原則として（⑥**前々事業年度**）を指す。

　この納税義務の有無の判定により、納税義務が免除された事業者は（⑦**免税事業者**）、免除されない事業者は（⑧**課税事業者**）と呼ばれる。

解答　問題8　課税事業者の選択の理論

(1)

届 出 書 名	消費税課税事業者選択届出書
効力発生時期	提出した日の属する課税期間の翌課税期間以後の課税期間

(2)

届 出 書 名	消費税課税事業者選択不適用届出書
効 力 発 生 時 期	提出した日の属する課税期間の末日の翌日以後
提 出 制 限	課税事業者の選択が適用された課税期間の初日から２年を経過する日の属する課税期間の初日以後でなければ、課税事業者選択不適用届出書を提出することはできない。

解 説

(1) 基準期間の課税売上高が1,000万円以下であり、免税事業者と判定された事業者が、課税事業者選択の規定の適用を受けようとするときは、消費税課税事業者選択届出書を提出します。

　また、その届出書の効力は、提出した日の属する課税期間の翌課税期間以後の課税期間から発生します（法9④）。

(2) 課税事業者選択届出書を提出した事業者は、課税事業者選択の規定の適用を受けることをやめようとするとき、又は事業を廃止したときは、消費税課税事業者選択不適用届出書を提出することにより、その規定の適用をやめることができます（法9⑤）。また、その効力は、提出した日の属する課税期間の末日の翌日以後に発生します（法9⑧）。

　ただし、事業を廃止した場合を除き、課税事業者の選択が適用された課税期間の初日から２年を経過する日の属する課税期間の初日以後でなければ、課税事業者選択不適用届出書を提出することはできません（法9⑥）。

解答 問題9　前年等の課税売上高による納税義務の免除の特例(1)

〔納税義務の有無の判定〕　　　　　　　　　　　　　　　　　　　　　（単位：円）

(1) 基準期間における課税売上高

① $9,450,000 \times \frac{100}{110} = 8,590,909$

② $126,000 \times \frac{100}{110} = 114,545$

③ ①－②＝$8,476,364 \leqq 10,000,000$

(2) 特定期間における課税売上高

① $(12,500,000 - 230,000 - 180,000) \times \frac{100}{110} + 180,000 = 11,170,909$

② $(370,000-17,000-9,000) \times \dfrac{100}{110} + 9,000 = 321,727$

③ ①－②＝10,849,182 ＞ 10,000,000

∴ 納税義務あり

解 説

　基準期間がある場合には、先ずは通常どおり、基準期間における課税売上高を使って判定します。

　基準期間における課税売上高が1,000万円以下である場合には、次に特定期間における課税売上高で判定します。

　本問の特定期間は、前事業年度開始の日以後6月の期間であるため、令和6年4月1日から令和6年9月30日までの期間となります。

解答　問題10　前年等の課税売上高による納税義務の免除の特例(2)

〔納税義務の有無の判定〕　　　　　　　　　　　　　　　　　　　　（単位：円）

(1) 基準期間における課税売上高

$$(10,550,000-50,000) \times \dfrac{100}{110} = 9,545,454 \leqq 10,000,000$$

(2) 特定期間における課税売上高

① $(11,800,000-200,000) \times \dfrac{100}{110} = 10,545,454$

② $(120,000-16,000) \times \dfrac{100}{110} = 94,545$

③ ①－②＝10,450,909 ＞ 10,000,000

∴ 納税義務あり

解 説

(1) 基準期間における課税売上高

　　前々事業年度が1年でないため、その事業年度開始の日（令和7年4月1日）の2年前の日の前日（令和5年4月1日）から、同日以後1年を経過する日（令和6年3月31日）までの間に開始した各事業年度を基準期間とします。したがって、前々々事業年度（令和5年8月1日から令和6年7月31日）が基準期間となります。

(2)　特定期間における課税売上高

　　前事業年度（令和6年12月1日から令和7年3月31日）が4ヵ月（≦7ヵ月）であり短期事業年度となるため、前々事業年度開始の日から6月の期間が特定期間となります。なお、前々事業年度が6ヵ月以下であるため、前々事業年度がそのまま特定期間となります。また、この場合には、按分計算は行わず、その4ヵ月分の課税売上高が特定期間における課税売上高となります。

解答　**問題11　前年等の課税売上高による納税義務の免除の特例(3)**

〔納税義務の有無の判定〕　　　　　　　　　　　　　　　　（単位：円）

(1)　基準期間における課税売上高

　①　$\{(5,500,000+5,200,000)-(500,000+300,000)\} \times \dfrac{100}{110}=9,000,000$

　②イ　$(300,000+120,000)-(20,000+15,000)=385,000$

　　ロ　$385,000 \times \dfrac{100}{110}=350,000$

　③　①－②ロ＝$8,650,000 \leqq 10,000,000$

(2)　特定期間における課税売上高

　　前事業年度　　5月 ≦ 7月

　　∴　短期事業年度

　　∴　前々事業年度が基準期間のため特定期間がない事業年度

　　∴　納税義務なし

解　説

(1)　基準期間における課税売上高

　　前々事業年度（令和5年11月1日〜令和6年10月31日）が1年であるため、通常通り前々事業年度が基準期間となります。本問では、前々事業年度の課税売上高が1,000万円以下であるため、次に特定期間における課税売上高で判定します。

(2)　特定期間における課税売上高

　　特定期間は、通常前事業年度開始の日以後6月の期間ですが、前事業年度（令和6年11月1日〜令和7年3月31日）が5月（≦7月）であることから短期事業年度に該当するため、前々事業年度開始の日以後6月の期間(令和5年11月1日〜令和6年4月30日)が特定期間となります。しかし、この期間が基準期間（令和5年11月1日〜令和6年10月31日）に含まれる期間であるため、特定期間はないこととなり、当課税期間は免税事業者となります。

〔納税義務の有無の判定〕　　　　　　　　　　　　　　　　　　（単位：円）

(1)　基準期間における課税売上高

$$9,660,000 \times \frac{100}{110} = 8,781,818 \leqq 10,000,000$$

(2)　特定期間における課税売上高

① 課税売上高

イ　$(11,500,000 - 200,000 - 150,000) \times \frac{100}{110} + 150,000 = 10,286,363$

ロ　$(310,000 - 20,000 - 10,000) \times \frac{100}{110} + 10,000 = 264,545$

ハ　イ－ロ＝10,021,818

② 支払給与　　4,800,000

③ ①ハ ＞ ②　　∴　4,800,000

4,800,000 ≦ 10,000,000

∴　納税義務なし

解　説

(1)　基準期間における課税売上高

通常どおり前々事業年度が基準期間となります。なお、前々事業年度の課税売上高が 1,000 万円以下であるため、次に特定期間における課税売上高で判定します。

(2)　特定期間における課税売上高

内国法人は、特定期間中に支払った給与等の金額をもって特定期間における課税売上高とすることができます。そのため、課税売上高と給与等のいずれかが 1,000 万円以下であれば、免税事業者となります。

第1期（令和6年2月1日～令和6年3月31日）　　　　　　　　　（単位：円）

(1)　基準期間における課税売上高

設立事業年度のため基準期間がない事業年度

(2)　特定期間における課税売上高

設立事業年度のため特定期間がない事業年度

(3)　新設法人の納税義務の免除の特例

　　資本金　　8,000,000 ＜ 10,000,000

　　∴　新設法人に該当しない

　　∴　納税義務なし

第2期（令和6年4月1日～令和7年3月31日）

(1)　基準期間における課税売上高

　　設立2期目のため基準期間がない事業年度

(2)　特定期間における課税売上高

　　前事業年度　　2月 ≦ 7月

　　∴　短期事業年度

　　∴　前々事業年度がないため特定期間がない事業年度

(3)　新設法人の納税義務の免除の特例

　　資本金　　12,000,000 ≧ 10,000,000

　　∴　新設法人に該当

　　∴　納税義務あり

第3期（令和7年4月1日～令和8年3月31日）

(1)　基準期間における課税売上高

　　0 ≦ 10,000,000

(2)　特定期間における課税売上高

　① 課税売上高

　　$4,500,000 \times \dfrac{100}{110} = 4,090,909$

　② 支払給与　　1,200,000

　③ ① ＞ ②　　∴　1,200,000

　　1,200,000 ≦ 10,000,000

　　∴　納税義務なし

解　説

　その事業年度の基準期間がない法人でその事業年度開始の日における資本金の額又は出資の金額が1,000万円以上である法人は、新設法人に該当するため、納税義務は免除されません。

　本問のA社は、第1期に設立されているため、第1期及び第2期は基準期間がない事業年度に該

当し、期首資本金の額で納税義務の有無を判定します。

この場合において、特定期間がある課税期間においては、<u>資本金による判定よりも特定期間における課税売上高による判定が優先されます</u>。

本問では、第1期は設立事業年度であるため、また、第2期においては、前事業年度（第1期）が2月（≦7月）で短期事業年度に該当し、かつ、前々事業年度もないため、ともに特定期間がありません。したがって、資本金による判定がそのまま適用され、第1期は納税義務がなく、第2期は納税義務が発生します。

また、第3期は基準期間（第1期）があるため新設法人には該当せず、①基準期間の判定、②特定期間の判定の順に納税義務の有無を判定します。この際、第2期が課税事業者に該当するため、第2期の課税売上高を税抜処理する点に注意しましょう。

解答　問題14　新設法人の納税義務の免除の特例の理論

①	基準期間がないこと
②	その事業年度開始の日における資本金の額又は出資の金額が1,000万円以上であること

解　説

新設法人に該当する場合には、「新設法人の納税義務の免除の特例」が適用され、その法人の納税義務は免除されません。

新設法人とは、基準期間がなく、かつ、その事業年度開始の日における資本金の額又は出資の金額が1,000万円以上である法人をいいます。したがって、新設法人に該当する要件は、①基準期間がないこと、②その事業年度開始の日における資本金の額又は出資の金額が1,000万円以上であることの2つです。基準期間がないことだけでなく、資本金の額又は出資の金額も要件となる点に注意しましょう。

第1期（令和5年4月1日～令和6年3月31日）　　　　　　　　　　　　（単位：円）

(1)　基準期間における課税売上高

　　　設立事業年度のため基準期間がない事業年度

(2)　特定期間における課税売上高

　　　設立事業年度のため特定期間がない事業年度

(3)　新設法人の納税義務の免除の特例

　　　資本金　　5,000,000 ＜ 10,000,000

　　　∴　新設法人に該当しない

(4)　特定新規設立法人の納税義務の免除の特例

　　①　特定要件

　　　　100% ＞ 50%　　∴　該当

　　②　課税売上高

$$\frac{735,000,000}{12月} \times 12月 = 735,000,000$$

　　　　735,000,000 ＞ 500,000,000

　　　　∴　特定新規設立法人に該当

　　　　∴　納税義務あり

第2期（令和6年4月1日～令和7年3月31日）

(1)　基準期間における課税売上高

　　　設立2期目のため基準期間がない事業年度

(2)　特定期間における課税売上高

　　　7,536,000 ≦ 10,000,000

(3)　新設法人の納税義務の免除の特例

　　　資本金　　10,000,000 ≧ 10,000,000

　　　∴　新設法人に該当

　　　∴　納税義務あり

第3期（令和7年4月1日～令和8年3月31日）

(1)　基準期間における課税売上高

　　　15,700,000 ＞ 10,000,000

　　　　∴　納税義務あり

⑴　第1期の判定

　　特定新規設立法人の納税義務の免除の特例の規定は、新設法人に該当しない法人について適用
があります。甲社は、設立事業年度開始の日における資本金が1,000万円未満であるため、新設
法人には該当せず、判定対象者である乙社の新設開始日の属する事業年度の基準期間相当期間^(※)
における課税売上高が5億円を超えることから、甲社は特定新規設立法人に該当し、納税義務は
免除されません。

　⑴　　甲社の新設開始日（令和5年4月1日）の2年前の日の前日（令和3年4月1日）から
　　　同日以後1年を経過する日（令和4年3月31日）までの間に終了した乙社の事業年度（令
　　　和3年4月1日から令和4年3月31日）

⑵　第2期の判定

　　甲社の事業年度開始の日における資本金の額が1,000万円以上であることから新設法人に該当
します。したがって、納税義務は免除されません。

　　この場合には、特定新規設立法人の納税義務の免除の特例の規定は、適用がないことに注意し
ましょう。

⑶　第3期の判定

　　甲社の基準期間があることから、基準期間における課税売上高により納税義務の判定を行いま
す。なお、基準期間における課税売上高が1,000万円以下であり、かつ、特定期間における課税
売上高も1,000万円以下であった場合でも新設法人の納税義務の免除の特例や特定新規設立法人
の納税義務の免除の特例の規定の適用はないことに注意しましょう。

解答　問題16　特定新規設立法人の納税義務の免除の特例の理論

①	その基準期間がない事業年度開始の日（次の②において「新設開始日」という。）にお いて特定要件に該当すること。
②	特定要件の判定対象となった他の者及びその他の者と特殊な関係にある法人のうちい ずれかの者のその新設開始日の属する事業年度の基準期間相当期間における課税売上 高が5億円を超えること

解　説

特定新規設立法人とは、新規設立法人のうち次の要件を満たす法人をいいます。

⑴　新規設立法人のその基準期間がない事業年度開始の日（「新設開始日」という。）において、特

定要件に該当すること。

⑵　その新規設立法人の特定要件の判定対象となった他の者及びその他の者と特殊な関係にある法人のうちいずれかの者のその新設開始日の属する事業年度の基準期間相当期間における課税売上高が5億円を超えること。

Ch 1
Ch 2
Ch 3
Ch 4
Ch 5
Ch 6
Ch 7
Ch 8
Ch 9
Ch 10
Ch 11
Ch 12
Ch 13
Ch 14
Ch 15
Ch 16

Chapter 7　仕入税額控除 Ⅱ

解答	問題1　課税仕入れの判定(1)

(1)	×	(2)	○	(3)	×	(4)	×	(5)	○
(6)	○	(7)	×	(8)	○	(9)	○	(10)	×
(11)	○	(12)	○	(13)	○	(14)	○	(15)	○
(16)	○	(17)	×	(18)	×	(19)	○	(20)	○
(21)	×	(22)	×	(23)	×	(24)	×	(25)	○
(26)	×	(27)	×	(28)	○	(29)	×	(30)	○

解　説

　課税仕入れに該当するか否かをすべて覚えることはできませんので、要件と取引の内容を照らし合わせながら判断できるようにしましょう。

(1)　給与等を対価とする役務の提供は課税仕入れには該当しません。

(2)　通常必要と認められる通勤手当は課税仕入れに該当します。

(3)　社会保険料の支払いは非課税仕入れであるため、課税仕入れには該当しません。

(4)(21)　慶弔金や寄附金は対価性がないため、課税仕入れには該当しません。

(5)　現物の購入による残業夜食代は課税仕入れに該当します。

(6)(7)　国内出張に関する旅費は課税仕入れに該当しますが、海外出張に関する航空運賃は免税仕入れとなるため、課税仕入れには該当しません。

(8)(9)　電気代や事務用消耗品の購入費用は、課税仕入れに該当します。

(10)(28)　土地の購入は非課税仕入れであるため、課税仕入れには該当しません。しかし、それに付随する仲介手数料は相手方が課税売上げとなるため、課税仕入れに該当します。

(11)(12)(13)　取引の相手方には、課税事業者だけでなく免税事業者も一般消費者も含まれます。そのため、課税資産の購入は取引の相手方にかかわらず課税仕入れに該当します。

(14)　弁護士等の顧問料は給与等ではなく、役務の提供の対価であるため課税仕入れに該当します。

(15)(16)　国内での役務（サービス）の提供も原則的に課税仕入れに該当します。

(17)(18)　郵便切手類や物品切手等の購入は非課税仕入れであるため、課税仕入れには該当しません。

(19)(20)　事務所の賃借料や接待に伴う飲食費用も課税仕入れの要件を満たすため、課税仕入れに該当します。

(22)　慰安旅行をキャンセルしたことによる違約金は対価性がないため、課税仕入れには該当しません。

(23) 利息の支払いは非課税仕入れであるため、課税仕入れには該当しません。

(24) ライオンズクラブの年会費は対価性がないため、課税仕入れには該当しません。

(25)(26) 出張旅費と同じように国内電話料金は課税仕入れに該当しますが、国際電話料金は免税仕入れとなるため、課税仕入れには該当しません。

(27) 外国為替手数料は非課税仕入れとなるため、課税仕入れには該当しません。

(29) 法人税の納付は対価性がないため、課税仕入れには該当しません。

(30) 輸出商品を保管するために指定保税地域内に賃借している倉庫の賃借料は国内における倉庫の賃借料であるため、課税仕入れに該当します。

解答	問題2　課税仕入れの判定(2)

(1)	○	(2)	×	(3)	○	(4)	×	(5)	○
(6)	○	(7)	○	(8)	○	(9)	×	(10)	○
(11)	×	(12)	○	(13)	×	(14)	○	(15)	×
(16)	○	(17)	×	(18)	×	(19)	○	(20)	○
(21)	×	(22)	×	(23)	×	(24)	×	(25)	○
(26)	×	(27)	○	(28)	×	(29)	×	(30)	○
(31)	○								

解説

　課税仕入れに該当するか否かの判断には Chapter 2 の課税の対象や Chapter 3 の非課税取引の知識も必要になります。不安がある内容についてはしっかりと復習しましょう。

(1) 当社と派遣社員との間に雇用契約がないことから、派遣会社に支払う派遣料は給与等ではなく、役務の提供の対価と考えます。そのため、課税仕入れに該当します。

(2) 当社と出向社員との間には雇用契約があるため、給与負担金は給与等として扱います。したがって、課税仕入れには該当しません。

(3) 役員又は使用人が職務を遂行するための転居に係る旅費は課税仕入れに該当します。

(4)(5) レジャー施設等の入会金のうち、脱退時に返還されないものは役務の提供の対価として課税仕入れに該当しますが、脱退時に返還されるものは単にお金を預けただけ（不課税取引）なので、課税仕入れには該当しません。

(6) 国内出張に関し、従業員に対して支払われる日当は、旅費と同様に課税仕入れに該当します。

(7)　課税仕入れの判定は資産の購入に着目するため、滅失した事実とは無関係に課税仕入れに該当します。

(8)　課税仕入れに該当するか否かの判定に、資金の源泉は関係ありません。そのため、受け取った保険金で購入していても課税資産を購入していれば、課税仕入れに該当します。

(9)(10)　有価証券の購入は非課税仕入れであるため、課税仕入れには該当しません。ただし、それに付随する手数料は役務の提供に係る支払対価であるため、課税仕入れに該当します。

(11)　保証料は非課税仕入れとなるため、課税仕入れには該当しません。

(12)　1月未満の土地の賃借は課税取引になります。そのため、貸付期間3週間の土地の賃借は課税仕入れに該当します。

(13)　寄附金は対価性がないため、課税仕入れには該当しません。

(14)　金銭以外の資産の贈与のための支出は、購入した資産が課税資産であれば課税仕入れに該当します。

(15)　金銭以外の資産の贈与であっても、購入したものが物品切手等であれば非課税仕入れとなるため、課税仕入れには該当しません。

(16)　葬儀に係る埋葬料及び火葬料は非課税仕入れに該当しますが、葬儀費用及び供花代は課税仕入れに該当します。

(17)　国外の建物の購入は国外取引であるため、課税仕入れには該当しません。

(18)(19)　同業者団体等の会費のうち通常会費は対価性のない取引であるため、課税仕入れに該当しません。ただし、名目上は同業者団体等の会費等とされているものでも、それが実質的に研修の受講料等の資産の譲渡等の対価に該当するときは、その支出は課税仕入れに該当します。

(20)(21)　役務の提供はその役務の提供が行われた場所に基づき国内取引の判定を行います。そのため、国内の空港で行われた広告宣伝費は国内取引となることから課税仕入れに該当しますが、国外の空港で行われた広告宣伝費は国外取引となり、課税仕入れには該当しません。

(22)　住宅の借上げは非課税仕入れに該当するため、課税仕入れには該当しません。

(23)　為替差損は対価性がない取引であるため、課税仕入れには該当しません。

(24)　使途が不明な交際費は、課税仕入れには該当しません。

(25)　健康診断等の保険診療報酬に含まれないものは非課税仕入れでないため、課税仕入れに該当します。

(26)　国際電話と同様に、国際運輸に係る支出は免税仕入れとなるため、課税仕入れには該当しません。

(27)(28)　課税仕入れ等に該当するものは、事業者が「事業として」資産を譲り受け、借受け又は役務の提供を受けるものです。そのため、家事使用のためのものは課税仕入れには該当しません。

(29)　加盟店手数料は、当社が信販会社に債権を売却した際の売却損に当たるため、課税仕入れに該当しません。

(例)　当社が消費者への販売代金 1,500 万円の回収をクレジット会社に依頼し、加盟店手数料として債権額の 5 ％相当額である 75 万円を支払った場合

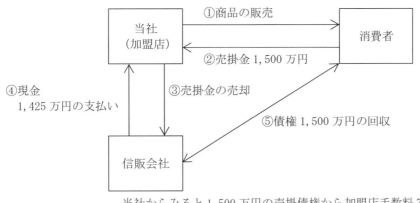

当社からみると 1,500 万円の売掛債権から加盟店手数料 75 万円

（＝1,500 万円× 5 ％）を差し引いた 1,425 万円で売却したことになります。

(30)　クレジットカードの年会費は、クレジットカードに関するサービスを受けるための対価であるため、課税仕入れに該当します。

(31)　国内の証券会社に支払った国内上場株式の売却手数料は、国内の証券会社に対する役務の提供の対価であるため、課税仕入れに該当します。

解答	問題3　仕入税額控除の理論

問 1

①　（　　　　譲り受け　　　　）　②　（　　　　借り受け　　　　）　③　（　　　　給与等　　　　）

④　（　　　外国貨物　　　）　⑤　（　消費税を課さないこと　）

問 2

⑴	資産を譲り受けた（購入した）日
⑵	課税貨物を引き取った日
⑶	役務の提供を受けた日
⑷	特例申告書を提出した日

問1

(1)　課税仕入れの意義

　　事業者が、事業として他の者から資産を（①**譲り受け**）、若しくは（②**借り受け**）又は役務の提供を受けることをいう。ただし、役務の提供のうち（③**給与等**）を対価とするものを除く。

(2)　課税貨物の意義

　　保税地域から引き取られる（④**外国貨物**）のうち、輸入取引の非課税の規定により（⑤**消費税を課さないこと**）とされるもの以外のものをいう。

問2

　　課税仕入れ等の時期をまとめると、次のようになります。

＜国内における課税仕入れ＞

　資産の譲受け：資産を譲り受けた（購入した）日 ⎫

　資産の借受け；資産を借り受けた日 ⎬ 課税仕入れを行った日

　役 務 の 提 供：役務の提供を受けた日 ⎭

＜保税地域から引き取る課税貨物＞

　一般申告の場合：課税貨物を引き取った日

　特例申告の場合：特例申告書を提出した日

解答　**問題4　控除対象仕入税額の計算（全額控除の場合）(1)**

---

(1)　課税売上割合　　　　　　　　　　　　　　　　　　（単位：円）

　　98%　≧　95%

　　300,000,000　≦　500,000,000　　　∴　按分計算は不要

(2)　控除対象仕入税額

　①　標準税率適用分

　　イ　課税仕入れに係る消費税額

　　　　$5,681,810 \times \dfrac{78}{100} = 4,431,811$

　　ロ　課税貨物に係る消費税額

　　　　1,133,400

　　ハ　合計

　　　　イ＋ロ＝5,565,211

② 軽減税率適用分

　　4,296,290 × $\dfrac{78}{100}$ ＝3,351,106

③ 控除対象仕入税額

　　①＋②＝8,916,317

解　説

　本問では、課税売上割合が95％以上であり、課税売上高（税抜）が5億円以下であるため、按分計算は不要となります。

　また、本問は積上げ計算の方法により控除対象仕入税額を計算することとなっていますので、標準税率、軽減税率ごとに以下の算式で計算します。

$$控除対象仕入税額＝\begin{array}{c}適格請求書等に記載し\\た消費税額等の合計額\end{array} × \dfrac{78}{100} ＋ \begin{array}{c}課税期間中に引き取った\\課税貨物に係る消費税額\end{array}$$

解答　問題5　控除対象仕入税額の計算（全額控除の場合）⑵

(1) 課税売上割合　　　　　　　　　　　　　　　　　　　　　　　　（単位：円）

　　98％ ≧ 95％

　　350,000,000 ≦ 500,000,000

　　∴　按分計算は不要

(2) 控除対象仕入税額

① 課税仕入れに係る消費税額

　　商品仕入（169,977,000－49,377,000）＋通勤手当 1,950,000

　　＋広告宣伝 9,170,000＋家賃 4,820,000＋運賃（5,140,000－1,200,000）

　　＋水道光熱 8,230,000＋コンピューター2,900,000＝151,610,000

　　151,610,000 × $\dfrac{7.8}{110}$ ＝10,750,527

② 課税貨物に係る消費税額

　　3,571,300

③ 控除対象仕入税額

　　①＋②＝14,321,827

解 説

　本問では、課税売上割合が95%以上であり、課税売上高（税抜）が5億円以下であるため、按分計算は不要となります。

① 　輸入分に係る消費税が当期商品仕入高に含まれていますが、輸入分については「課税貨物に係る消費税額」として別に計算するため、輸入分を差し引いて国内課税仕入れを計算します。

② 　給料・賃金は不課税仕入れですが、通勤手当は基本的に課税仕入れとなります。

⑤ 　保険料は非課税仕入れであるため、課税仕入れには含めません。

⑥ 　国際運輸に係る運賃は免税仕入れであるため、課税仕入れには含めません。

⑧ 　租税公課は対価性がないことから、課税仕入れには含めません。

⑨ 　支払地代は非課税仕入れであるため、課税仕入れには含めません。

⑩ 　課税資産であれば、固定資産の購入も課税仕入れに含めます。

⑪ 　土地の購入は非課税仕入れであるため、課税仕入れには含めません。

⑫ 　課税仕入れの帰属時期は資産を譲り受けた日の属する課税期間となります。したがって、単に代金を前渡ししただけで資産を譲り受けていない場合には、当課税期間の課税仕入れには含めません。

解答　問題6　課税売上割合の計算(1)

問1

(1) 課税売上高　　　　　　　　　　　　　　　　　　　　　　（単位：円）

$$(79,800,000+2,100,000) \times \frac{100}{110} +15,545,455=90,000,000$$

(2) 非課税売上高

$$8,000,000 \times 5\% +29,600,000=30,000,000$$

(3) 課税売上割合

$$\frac{(1)}{(1)+(2)} = \frac{90,000,000}{120,000,000} =0.75 \ < \ 95\%$$

∴　按分計算が必要

問2

(1) 課税売上高　　　　　　　　　　　　　　　　　　　　　　（単位：円）

① $(299,250,000+15,750,000) \times \frac{100}{110} +95,554,545=381,918,181$

② $2,110,000 \times \frac{100}{110} =1,918,181$

③ ①－②＝380,000,000

(2) 非課税売上高

$60,000,000 \times 5\% + 500,000 + 16,500,000 = 20,000,000$

(3) 課税売上割合

$\dfrac{(1)}{(1)+(2)} = \dfrac{380,000,000}{400,000,000} = 0.95 \geqq 95\%$

$380,000,000 \leqq 500,000,000$

∴ 按分計算は不要

問3

(1) 課税売上高　　　　　　　　　　　　　　　　　　　（単位：円）

① $(591,000,000 + 15,210,000) \times \dfrac{100}{110} + 82,000,000 = 633,100,000$

② $3,160,000 \times \dfrac{100}{110} + 1,250,000 = 4,122,727$

③ ①－②＝628,977,273

(2) 非課税売上高

$6,000,000 \times 5\% + 200,000 = 500,000$

(3) 課税売上割合

$\dfrac{(1)}{(1)+(2)} = \dfrac{628,977,273}{629,477,273} = 0.9992\cdots \geqq 95\%$

$628,977,273 > 500,000,000$

∴ 按分計算が必要

解　説

　課税売上割合の計算にあたっては、消費税が含まれている課税売上げや課税売上げに係る対価の返還等の金額を税抜きの金額になおす点がポイントとなります。反対に、非課税売上げや免税売上げは消費税が含まれていないため、税抜きの金額になおす必要はありません。

　また、非課税売上高のうち株式（有価証券）の売却額については、5％を乗じるのを忘れないようにしましょう。

問1　(2)の「株式売却額」は5％を乗じた金額を非課税売上高に加えます。この他、(4)の「土地売却額」も非課税売上高となります。

問2　(3)の「有価証券売却収入」は5％を乗じた金額を非課税売上高に加えます。また、(4)の「受取利息」と(8)の「土地の売却収入」も非課税売上高となります。

　　(5)の「受取配当金」と(6)の「保険金収入」は不課税売上げなので、課税売上割合の計算には関係しません。

なお、当課税期間の課税売上割合が95%以上であり、かつ、課税売上高が5億円以下であるため、控除対象仕入税額の按分計算は不要となります。

問3　(3)の「有価証券売却収入」は5%を乗じた金額を非課税売上高に加えます。また、(4)の「受取利息」も非課税売上高となります。

　　(5)の「受取配当金」と(6)の「保険金収入」は不課税売上げなので、課税売上割合の計算には関係しません。

　　なお、課税売上割合が95%以上であっても、当課税期間の課税売上高が5億円を超えているため、控除対象仕入税額の按分計算が必要となります。

解答　問題7　課税売上割合の計算(2)

(1)　課税売上高　　　　　　　　　　　　　　　　　　　　　　　　　　（単位：円）

①　$(237,145,500+82,950,000+80,000,000 \times \dfrac{3}{3+7} +9,030,000) \times \dfrac{100}{110}$

　　$+107,000,000=428,023,181$

②　$1,795,500 \times \dfrac{100}{110} +500,000=2,132,272$

③　①－②＝425,890,909

(2)　非課税売上高

$60,000,000 \times 5\% +3,650,000+41,000,000+80,000,000 \times \dfrac{7}{3+7} +5,250,000$

$=108,900,000$

(3)　課税売上割合

$\dfrac{(1)}{(1)+(2)} =\dfrac{425,890,909}{534,790,909} =0.7963\cdots < 95\%$

∴　按分計算が必要

解　説

　課税売上割合の計算にあたっては、売上げの分類がポイントとなります。特に、以下の取引に注意しましょう。

(4)　受取配当金は対価性がないため、不課税売上げとなります。

(5)　有価証券の売却収入は、5%を乗じた金額を非課税売上高に加えます。

(6)　海外にある土地の売却は国外取引に該当するため、不課税売上げとなります。

(7)　受取利息は非課税売上げとなります。

⑻　マンション等の住宅の貸付けは非課税売上げとなります。

⑼　マンション等の建物の売却は、住宅用であっても課税売上げとなります。

⑽　土地付建物を一括譲渡した場合で、対価の額が合理的に区分されていない場合には、時価の比率に基づき、課税資産に係る部分（課税売上高）と非課税資産に係る部分（非課税売上高）に区分します。

⑾　ゴルフ場利用株式の売却は非課税取引となる有価証券等の譲渡には該当しないため、課税売上げとして取り扱います。

⑿　投資信託の収益分配金は、非課税売上げとなります。

解答　問題8　課税仕入れの区分(1)

(1)	A	(2)	A	(3)	A	(4)	A	(5)	A
(6)	B	(7)	C	(8)	A	(9)	C	(10)	B
(11)	B	(12)	C	(13)	A	(14)	B	(15)	B
(16)	B	(17)	B	(18)	A	(19)	A	(20)	A
(21)	B	(22)	C	(23)	C	(24)	A		

解　説

　課税仕入れの区分にあたっては、「対応する売上げ」が 7.8%課税売上げ又は免税売上げなのか、非課税売上げなのかを考えましょう。また、実際の試験問題等では、これに加えて免税仕入れや非課税仕入れ、不課税仕入れも資料に含まれていますので、冷静に取引を見極めるようにしましょう。

(1)　販売すると課税売上げとなる商品の仕入代金は、課税資産の譲渡等にのみ要するものに区分します。

(2)(3)　販売すると課税売上げとなる製品の製造に必要な材料の仕入代金は、その材料の運搬に必要な費用も含めて、課税資産の譲渡等にのみ要するものに区分します。

(4)(5)　免税売上げも「課税資産の譲渡等」に該当するので、免税売上げのための課税仕入れは課税資産の譲渡等にのみ要するものに区分します。

(6)　土地の売却は非課税売上げなので、そのために支払った仲介手数料は、その他の資産の譲渡等にのみ要するものに区分します。

(7)　本社に関する課税仕入れは共通して要するものに区分します。

(8)(9)　特定の製品（課税資産）に関連する広告宣伝費は課税資産の譲渡等にのみ要するものに区分します。一方、会社全体の知名度をあげるための広告宣伝費は、特定の売上げには対応しないため、共通して要するものに区分します。

(10)　株式の売却は非課税売上げなので、そのために支払った手数料は、その他の資産の譲渡等にのみ要するものに区分します。

(11)　従業員から徴収した社宅の賃貸料は、住宅の貸付けの対価として非課税売上げとなります。したがって、その社宅に対する修繕費用は、その他の資産の譲渡等にのみ要するものに区分します。

(12)　新株の発行については会社全体に関係する費用なので、それに関する課税仕入れは共通して要するものに区分します。

(13)　倉庫の建設費用は製品の製造のためのものであり、課税資産の譲渡等にのみ要するものに区分します。

(14)(15)(16)　身体障害者用物品の販売は非課税売上げになります。そのため、必要な材料の仕入代金や運搬費用、製造に必要な設備の購入代金は非課税売上げに対応する課税仕入れとなるので、その他の資産の譲渡等にのみ要するものに区分します。

(17)　住宅の貸付け（非課税取引）に対応する課税仕入れなので、その他の資産の譲渡等にのみ要するものに区分します。

(18)　実際に販売できなかったとしても、そもそも課税売上げのために当課税期間に仕入れたものであれば、課税資産の譲渡等にのみ要するものに区分します。

(19)　課税売上げに対応するものなので、国内出張旅費も広告宣伝費と同様に、課税資産の譲渡等にのみ要するものに区分します。

(20)　土地の造成の目的が製品製造のための工場の建設であることから、課税売上げに対応するため、課税資産の譲渡等にのみ要するものに区分します。

(21)　居住用住宅の賃貸は非課税取引であるため、居住用住宅建設のための土地の造成費用はその他の資産の譲渡等にのみ要するものに区分します。

(22)　税理士報酬は特定の売上げに対応しないため、共通して要するものに区分します。

(23)　本社に係る水道光熱費は会社の共通経費にあたるため、共通して要するものに区分します。

(24)　海外向けホームページのメンテナンス料は、国外の顧客に対する商品販売に係る国内での役務の提供であり、「国外における資産の譲渡等」のための課税仕入れに該当します。ここで、国外における資産の譲渡等は「課税資産の譲渡等」に該当する（詳しくは問題13を確認してください。）ため、当該メンテナンス料は課税資産の譲渡等にのみ要するものに区分します。

解答　問題9　課税仕入れの区分(2)

課税資産の譲渡等にのみ要するもの	1,837,500	円
その他の資産の譲渡等にのみ要するもの	0	円
共通して要するもの	0	円

解　説　（単位：円）

課税資産の譲渡等にのみ要するもの：306,819＋30,681＋1,500,000＝1,837,500

　税抜経理方式を採用しているため、会計上の費用に仮払消費税等を加算した金額が課税仕入れに係る支払対価の額となります。さらに、実際に修理に要した修繕費は損額賠償金控除前の金額（1,837,500）なので、控除されている損害賠償金（1,500,000）を加算します。

　なお、棚卸資産である車両の修繕費は、車両の販売に係る課税仕入れであるため課税資産の譲渡等にのみ要するものに区分します。

解答　問題10　課税仕入れの区分(3)

課税資産の譲渡等にのみ要するもの	872,927	円
その他の資産の譲渡等にのみ要するもの	0	円
共通して要するもの	0	円

解　説　（単位：円）

課税資産の譲渡等にのみ要するもの：872,927

(1)(2)　外国為替手数料及び外貨送金手数料は外国為替業務に該当し、非課税仕入れであることから、課税仕入れに該当しません。

(3)　代金引換手数料は国内での役務の提供に係る対価であるため、課税仕入れに該当します。また、商品販売に係る費用であるため、課税資産の譲渡等にのみ要するものに区分します。

(4)　加盟店手数料は売掛債権の売却損に該当するため、課税仕入れには該当しません。

(1) 課税売上割合 （単位：円）

52% ＜ 95%

∴ 按分計算が必要

(2) 区分経理及び税額

① 課税資産の譲渡等にのみ要するもの

$1,114,545 \times \dfrac{78}{100} = 869,345$

② その他の資産の譲渡等にのみ要するもの

$200,000 \times \dfrac{78}{100} = 156,000$

③ 共通して要するもの

$649,090 \times \dfrac{78}{100} = 506,290$

(3) 控除対象仕入税額

$869,345 + 506,290 \times 52\% = 1,132,615$

解 説

積上げ計算の方法は、個別対応方式では課税仕入れを３つに区分し、それぞれの区分に係る課税仕入れに係る消費税額等の合計額に100分の78を乗じて税額を計算します。

そのうち、課税資産の譲渡等にのみ要するものについては全額を控除の対象とし、共通して要するものについては課税売上割合を乗じた部分のみを控除対象仕入税額に含めます。

なお、その他の資産の譲渡等にのみ要するものについては、控除の対象になりません。

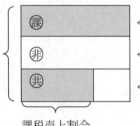

← 課税売上げにのみ対応する部分なので全額控除できる

← 非課税売上げにのみ対応する部分なので全額控除の対象とならない

← 共通して対応する部分なので課税売上割合を乗じて課税売上げに対応する範囲が控除できる

課税売上割合

解答　問題 12　個別対応方式による税額計算⑵

(1)　課税売上割合　　　　　　　　　　　　　　　　　　　　　　（単位：円）

52% ＜ 95%

∴　按分計算が必要

(2)　区分経理及び税額

①　課税資産の譲渡等にのみ要するもの

$12,260,000 \times \dfrac{7.8}{110} = 869,345$

②　その他の資産の譲渡等にのみ要するもの

$2,200,000 \times \dfrac{7.8}{110} = 156,000$

③　共通して要するもの

$7,140,000 \times \dfrac{7.8}{110} = 506,290$

(3)　控除対象仕入税額

$869,345 + 506,290 \times 52\% = 1,132,615$

解　説

　割戻し計算の方法は、個別対応方式では課税仕入れを３つに区分し、それぞれの区分に係る課税仕入れに 110 分の 7.8 を乗じて税額を計算します。

　そのうち、課税資産の譲渡等にのみ要するものについては全額を控除の対象とし、共通して要するものについては課税売上割合を乗じた部分のみを控除対象仕入税額に含めます。

　なお、その他の資産の譲渡等にのみ要するものについては、控除の対象になりません。

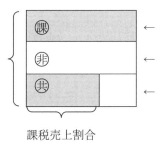

各区分の税額

←　課税売上げにのみ対応する部分なので全額控除できる

←　非課税売上げにのみ対応する部分なので全額控除の対象とならない

←　共通して対応する部分なので課税売上割合を乗じて課税売上げに対応する範囲が控除できる

課税売上割合

国外に所在する土地の譲渡は、国内取引の非課税に該当しないため、課税資産の譲渡等となる。したがって、その譲渡に係る課税仕入れは、個別対応方式の計算上「課税資産の譲渡等にのみ要するもの」に区分され、その課税仕入れ等の税額の全額が控除される。

解説

消費税法では「課税資産の譲渡等」の意義として、「資産の譲渡等のうち、第6条第1項（国内取引の非課税）の規定により消費税を課さないこととされるもの以外のものをいう。」（法2①九）と規定しており、**国内で非課税とされる取引以外**を「課税資産の譲渡等」ということを定めています。

また、「資産の譲渡等」の意義に関しては、「事業として対価を得て行われる資産の譲渡及び貸付け並びに役務の提供をいう。」（法2①八）と規定しており、事業として対価を得て行われた取引は、**国内、国外問わず**「資産の譲渡等」に該当することとしています。

「国外に所在する土地の譲渡」は、国外における資産の譲渡等であり、「国内で」非課税とされる取引には該当しないため、「課税資産の譲渡等」に該当します。

したがって、当該土地の譲渡に係る課税仕入れは「課税資産の譲渡等にのみ要する課税仕入れ」に該当します。

資 産 の 譲 渡 等

（ 国 外 ）	（ 国 内 ）	
課税資産の譲渡等		
		非課税取引

課税の対象[01]

[01) 非課税取引は限定列挙であるため、国内で行われた13項目の取引のみを非課税取引としています。したがって、国外で行われた取引には「非課税取引」という概念は存在しないことに注意しましょう。

なお、課税の対象に含まれるのは、この「資産の譲渡等」のうち、国内で行われた取引のみです。

解答　問題 14　一括比例配分方式による税額計算(1)

(1)　課税売上割合　　　　　　　　　　　　　　　　　　　　　（単位：円）

52% ＜ 95%

∴　按分計算が必要

(2)　課税仕入れ等の税額の合計額

$1,963,636 \times \dfrac{78}{100} = 1,531,636$

(3)　控除対象仕入税額

$1,531,636 \times 52\% = 796,450$

解　説

　一括比例配分方式では、課税仕入れ等をすべて共通して要するものとして考えて計算します。したがって、課税仕入れ等の税額の合計額に課税売上割合を一括して乗じることで、控除対象仕入税額を求めます。

各区分の税額

すべて「共通して要するもの」と考えて、
一律に課税売上割合を乗じて控除する税額を計算

課税売上割合

解答　問題 15　一括比例配分方式による税額計算(2)

(1)　課税売上割合　　　　　　　　　　　　　　　　　　　　　（単位：円）

52% ＜ 95%

∴　按分計算が必要

(2)　課税仕入れ等の税額の合計額

$21,600,000 \times \dfrac{7.8}{110} = 1,531,636$

(3)　控除対象仕入税額

$1,531,636 \times 52\% = 796,450$

　一括比例配分方式では、課税仕入れ等をすべて共通して要するものとして考えて計算します。したがって、課税仕入れ等の税額の合計額に課税売上割合を一括して乗じることで、控除対象仕入税額を求めます。

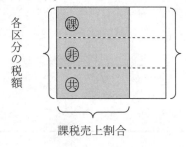

各区分の税額 ⎰⎱ 課 非 共

すべて「共通して要するもの」と考えて、
一律に課税売上割合を乗じて控除する税額を計算

課税売上割合

解答 　問題16　個別・一括の有利判定(1)

---

(1)　課税売上割合　　　　　　　　　　　　　　　　　　　　　（単位：円）

　①　課税売上高

　　　286,000,000

　②　非課税売上高

　　　31,000,000

　③　課税売上割合

$$\frac{①}{①+②}=\frac{286,000,000}{317,000,000}=0.9022\cdots\ <\ 95\%$$

　　　∴　按分計算が必要

(2)　区分経理及び税額

　①　個別対応方式

　　イ　課税資産の譲渡等にのみ要するもの

　　　(a)　課税仕入れ

　　　　　商品仕入（131,540,000－64,800,000）＋荷造運送（9,716,000－853,000）

　　　　　＋手数料271,000＋賃借料2,748,000＝78,622,000

　　　　　$78,622,000\times\dfrac{7.8}{110}=5,575,014$

　　　(b)　課税貨物

　　　　　4,640,400

(c)　(a)＋(b)＝10,215,414

ロ　その他の資産の譲渡等にのみ要するもの

手数料 199,000＋34,000＝233,000

$233,000 \times \dfrac{7.8}{110} = 16,521$

ハ　共通して要するもの

賃借料 3,900,000＋その他 72,620,000＝76,520,000

$76,520,000 \times \dfrac{7.8}{110} = 5,425,963$

ニ　控除対象仕入税額

$10,215,414 + 5,425,963 \times \dfrac{286,000,000}{317,000,000} = 15,110,762$

②　一括比例配分方式

イ　課税仕入れ

78,622,000＋233,000＋76,520,000＝155,375,000

$155,375,000 \times \dfrac{7.8}{110} = 11,017,500$

ロ　課税貨物

4,640,400

ハ　控除対象仕入税額

$(11,017,500 + 4,640,400) \times \dfrac{286,000,000}{317,000,000} = 14,126,685$

(3)　有利判定

(2)① ＞ (2)②　　∴　15,110,762

解　説

課税仕入れについて区分経理がされている場合には、特に指示がない限り、個別対応方式と一括比例配分方式の2つの方法で計算して納税者が有利になる方法、すなわち、控除対象仕入税額が多くなる方法を採用します。

1　課税売上割合について

本問では課税売上割合が 95％未満であるため、按分計算が必要となります。なお、課税売上割合が割り切れない場合には、特に指示がない限り、端数処理をせずに計算を行います。そのため、按分計算が必要か否かの判定にあたっては、95％以上か否かがわかるように小数で表示していますが、実際には課税売上割合を乗じるときのために分数で表示しておきます。

2　課税仕入れと区分について

⑴　課税貨物の引取りに係る消費税（国税分）は区別して計算します。

⑵　運送貨物に係る保険料は非課税仕入れとなるため、課税仕入れには含めません。

⑶　商品の販売のために支払った手数料は、課税売上げのための課税仕入れなので課税資産の譲渡等にのみ要するものに区分します。一方、土地の売却のために支払った手数料は、非課税売上げのための課税仕入れなので、その他の資産の譲渡等にのみ要するものに区分します。

⑷⑸　賃借料のうち、本社に関係するものは共通して要するものに区分し、商品に関係するものは課税売上げに対応するため、課税資産の譲渡等にのみ要するものに区分します。

⑹　その他の販売費及び一般管理費は、指示に従って共通して要するものに区分します。

⑺　株式は非課税資産であるため、その購入費用は課税仕入れに該当しません。ただし、購入に要した手数料は課税仕入れに該当し、その他の資産の譲渡等にのみ要するものに区分します。

解答　問題17　個別・一括の有利判定⑵

Ⅰ　課税標準額に対する消費税額の計算

〔課税標準額〕

計　算　過　程　　　　　　　　　　　　　　　　　　（単位：円）
売上高（255,800,000－21,650,000）＋備品売却1,100,000＋役員みなし譲渡（※）250,000 ＝235,500,000 （※）　役員に対するみなし譲渡 　　　250,000 ＞ 420,000×50％＝210,000　　∴　250,000 235,500,000×$\dfrac{100}{110}$ ＝214,090,909 → 214,090,000（千円未満切捨）

	金 額	円 214,090,000

〔課税標準額に対する消費税額〕

計　算　過　程　　　　　（単位：円）	金 額	円 16,699,020
214,090,000×7.8％＝16,699,020		

Ⅱ　仕入れに係る消費税額の計算等

〔課税売上割合〕

計　算　過　程	（単位：円）

(1) 課税売上高

　国内売上 214,090,909＋輸出売上 21,650,000＝235,740,909

(2) 非課税売上高

　受取利息 900,000＋社宅収入 12,550,000＋株式売却 100,000,000×5％＝18,450,000

(3) 課税売上割合

$$\frac{(1)}{(1)+(2)} = \frac{235,740,909}{254,190,909} = 0.9274\cdots \; < \; 95\%$$

　∴　按分計算が必要

課税売上割合	$\dfrac{235,740,909}{254,190,909}$ 円　円

〔控除対象仕入税額〕

計　算　過　程	（単位：円）

(1) 区分経理及び税額

　① 個別対応方式

　　イ　課税資産の譲渡等にのみ要するもの

　　　(a) 課税仕入れ

　　　　商品仕入 (126,845,000－29,160,000) ＋荷造運搬 5,640,000＋賃借料 35,000,000

　　　　＝138,325,000

　　　　$138,325,000 \times \dfrac{7.8}{110} = 9,808,500$

　　　(b) 課税貨物

　　　　2,088,300

　　　(c) (a)＋(b)＝11,896,800

　　ロ　その他の資産の譲渡等にのみ要するもの

　　　手数料 40,000＋修繕費 3,850,000＝3,890,000

　　　$3,890,000 \times \dfrac{7.8}{110} = 275,836$

ハ　共通して要するもの

通勤手当 1,930,000＋修繕費（7,930,000－3,850,000）＋その他 24,645,000

＝30,655,000

$30,655,000 \times \dfrac{7.8}{110} = 2,173,718$

ニ　控除対象仕入税額

$11,896,800 + 2,173,718 \times \dfrac{235,740,909}{254,190,909} = 13,912,742$

② 一括比例配分方式

イ　課税仕入れ

138,325,000＋3,890,000＋30,655,000＝172,870,000

$172,870,000 \times \dfrac{7.8}{110} = 12,258,054$

ロ　課税貨物

2,088,300

ハ　控除対象仕入税額

$(12,258,054 + 2,088,300) \times \dfrac{235,740,909}{254,190,909} = 13,305,049$

(2) 有利判定

(1)① ＞ (1)②　　∴　13,912,742

	円
金額	13,912,742

Ⅲ　差引税額の計算

〔差引税額〕

計　算　過　程　　（単位：円）		円
16,699,020－13,912,742＝2,786,278　→　2,786,200 （百円未満切捨）	金額	2,786,200

Ⅳ　納付税額の計算

〔納付税額〕

計　算　過　程　　（単位：円）		円
2,786,200	金額	2,786,200

解　説

　本問の形式は、本試験に出題されるような総合問題を最も簡略化させたような形になっています。取引の分類や計算の流れがポイントとなります。

1　課税標準額について

　　当課税期間の支出に関する事項の資料に、みなし譲渡に関する資料が記載されています。このように、関連する資料が離れた場所に示されることもあるので、問題文にひととおり目を通してから解くようにしましょう。

　　なお、棚卸資産のみなし譲渡が行われた場合、通常販売価額の50%と課税仕入れに係る金額のうち、いずれか大きい方の金額を課税売上高に計上します。また、みなし譲渡の判定は解答の計算根拠となる部分ですので、実際に答案用紙に記載します。

2　非課税売上高と課税売上割合について

　　非課税売上高を計算する際に、株式売却収入に5%を乗じるのを忘れないようにしましょう。

3　課税仕入れと区分について

⑴　課税貨物に係る消費税は別途税額を加算するため、当期商品仕入高から輸入仕入高を控除して、国内課税仕入高を計算します。

　　なお、みなし譲渡として役員に贈与した商品の仕入高も、課税仕入れとなり、課税資産の譲渡等にのみ要するものに区分します。

⑵　給料手当は不課税仕入れですが、通勤手当は課税仕入れに該当します。また、問題文の指示により、共通して要するものに区分します。

⑶　株式売却手数料は、その他の資産の譲渡等にのみ要するものに区分します。

⑷　商品荷造運搬費は課税売上げに対するものであるため、課税資産の譲渡等にのみ要するものに区分します。

⑸　保険料の支払いは非課税仕入れとなるため、課税仕入れには該当しません。

⑹　修繕費用は課税仕入れとなります。このうち、本社に係るものは共通して要するものに区分します。一方、社宅に係る修繕費用は住宅の貸付け（非課税売上げ）に対するものであるため、その金額はその他の資産の譲渡等にのみ要するものに区分します。

⑺　法人税等の納付額は対価性がない支出のため、課税仕入れには該当しません。

⑻　商品保管用倉庫の賃借料は課税売上げに対する課税仕入れであるため、課税資産の譲渡等にのみ要するものに区分します。

⑼　その他の課税仕入れは、問題文の指示により共通して要するものに区分します。

(1) 課税売上割合　　　　　　　　　　　　　　　　　　　　　　　　　（単位：円）

$52\% < 95\%$

∴　按分計算が必要

(2) 区分経理及び税額

① 標準税率適用分

イ　個別対応方式

(a) 課税資産の譲渡等にのみ要する

$1,370,890 \times \dfrac{78}{100} = 1,069,294$

(b) その他の資産の譲渡等にのみ要するもの

$300,000 \times \dfrac{78}{100} = 234,000$

(c) 共通して要するもの

$798,381 \times \dfrac{78}{100} = 622,737$

(d) 控除対象仕入税額

$1,069,294 + 622,737 \times 52\% = 1,393,117$

ロ　一括比例配分方式

(a) 課税仕入れ

$(1,370,890 + 300,000 + 798,381) \times \dfrac{78}{100} = 1,926,031$

(b) 控除対象仕入税額

$1,926,031 \times 52\% = 1,001,536$

② 軽減税率適用分

イ　個別対応方式

(a) 課税資産の譲渡等にのみ要するもの

$245,200 \times \dfrac{78}{100} = 191,256$

(b) 共通して要するもの

$142,800 \times \dfrac{78}{100} = 111,384$

(c) 控除対象仕入税額

$191,256 + 111,384 \times 52\% = 249,175$

Ch 1

Ch 2

Ch 3

Ch 4

Ch 5

Ch 6

Ch 7

Ch 8

Ch 9

Ch 10

Ch 11

Ch 12

Ch 13

Ch 14

Ch 15

Ch 16

ロ　一括比例配分方式

(a)　課税仕入れ

$$(245,200 + 142,800) \times \frac{78}{100} = 302,640$$

(b)　控除対象仕入税額

$$302,640 \times 52\% = 157,372$$

(2)　有利判定

①　個別対応方式

$$1,393,117 + 249,175 = 1,642,292$$

②　一括比例配分方式

$$1,001,536 + 157,372 = 1,158,908$$

③　① ＞ ②　　∴　1,642,292

解　説

　課税仕入れに係る消費税率に標準税率と軽減税率の両方がある場合は、標準税率、軽減税率それぞれごとに個別対応方式による控除税額、一括比例配分方式による控除税額を計算し、合計します。

解答　**問題 19　軽減税率がある場合(2)**

(1)　課税売上割合　　　　　　　　　　　　　　　　　　　　　　　　　　　（単位：円）

52% ＜ 95%

∴　按分計算が必要

(2)　区分経理及び税額

①　標準税率適用分

イ　個別対応方式

(a)　課税資産の譲渡等にのみ要するもの

$$18,390,000 - 3,310,200 = 15,079,800$$

$$15,079,800 \times \frac{7.8}{110} = 1,069,294$$

(b)　その他の資産の譲渡等にのみ要するもの

$$3,300,000 \times \frac{7.8}{110} = 234,000$$

(c) 共通して要するもの

$10,710,000-1,927,800=8,782,200$

$8,782,200 \times \dfrac{7.8}{110} = 622,737$

(d) 控除対象仕入税額

$1,069,294+622,737 \times 52\% = 1,393,117$

ロ　一括比例配分方式

(a) 課税仕入れ

$15,079,800+3,300,000+8,782,200=27,162,000$

$27,162,000 \times \dfrac{7.8}{110} = 1,926,032$

(b) 控除対象仕入税額

$1,926,032 \times 52\% = 1,001,536$

② 軽減税率適用分

イ　個別対応方式

(a) 課税資産の譲渡等にのみ要するもの

$3,310,200 \times \dfrac{6.24}{108} = 191,256$

(b) 共通して要するもの

$1,927,800 \times \dfrac{6.24}{108} = 111,384$

(c) 控除対象仕入税額

$191,256+111,384 \times 52\% = 249,175$

ロ　一括比例配分方式

(a) 課税仕入れ

$3,310,200+1,927,800=5,238,000$

$5,238,000 \times \dfrac{6.24}{108} = 302,640$

(b) 控除対象仕入税額

$302,640 \times 52\% = 157,372$

(2) 有利判定

① 個別対応方式

$1,393,117+249,175=1,642,292$

② 一括比例配分方式

$1,001,536+157,372=1,158,908$

③ ① ＞ ②　　∴ $1,642,292$

解答 | 問題20　軽減税率がある場合(3)

Ⅰ　課税標準額に対する消費税額の計算

〔課税標準額〕

計　算　過　程 (単位：円)		
売上高 204, 640, 000＋備品売却 350, 000＝204, 990, 000 $204,990,000 \times \dfrac{100}{110} = 186,354,545 \rightarrow 186,354,000$（千円未満切捨）		
	金 額	円 186, 354, 000

〔課税標準額に対する消費税額〕

計　算　過　程 (単位：円)	金 額	円
$186,354,000 \times 7.8\% = 14,535,612$		14, 535, 612

Ⅱ　仕入れに係る消費税額の計算等

〔課税売上割合〕

計　算　過　程 (単位：円)		
(1)　課税売上高 　　186, 354, 545 (2)　非課税売上高 　　受取利息 200, 000＋社宅収入 6, 550, 000＋株式売却 80, 000, 000×5％＝10, 750, 000 (3)　課税売上割合 　　$\dfrac{(1)}{(1)+(2)} = \dfrac{186,354,545}{197,104,545} = 0.9454\cdots < 95\%$ 　　∴　按分計算が必要		
	課税売上割合	186, 354, 545　円 ———————————— 197, 104, 545　円

〔控除対象仕入税額〕

計　算　過　程	（単位：円）

(1) 区分経理及び税額

① 標準税率適用分

イ　個別対応方式

(a) 課税資産の譲渡等にのみ要するもの

商品仕入 122,784,000＋荷造運搬 640,000＋修繕費（1,630,000－1,350,000）

＋賃借料 5,760,000＝129,464,000

$129,464,000 \times \dfrac{7.8}{110} = 9,180,174$

(b) その他の資産の譲渡等にのみ要するもの

手数料 2,400,000＋修繕費 1,350,000＝3,750,000

$3,750,000 \times \dfrac{7.8}{110} = 265,909$

(c) 共通して要するもの

通勤手当 1,752,000＋その他（4,742,000－86,400）＝6,407,600

$6,407,600 \times \dfrac{7.8}{110} = 454,357$

(d) 控除対象仕入税額

$9,180,174＋454,357 \times \dfrac{186,354,545}{197,104,545} = 9,609,750$

ロ　一括比例配分方式

(a) 課税仕入れ

129,464,000＋3,750,000＋6,407,600＝139,621,600

$139,621,600 \times \dfrac{7.8}{110} = 9,900,440$

(b) 控除対象仕入税額

$9,900,440 \times \dfrac{186,354,545}{197,104,545} = 9,360,474$

② 軽減税率適用分

イ　個別対応方式

(a)　課税資産の譲渡等にのみ要するもの

$$220,000 \times \frac{6.24}{108} = 12,711$$

(b)　共通して要するもの

$$86,400 \times \frac{6.24}{108} = 4,992$$

(c)　控除対象仕入税額

$$12,711 + 4,992 \times \frac{186,354,545}{197,104,545} = 17,430$$

ロ　一括比例配分方式

(a)　課税仕入れ

$$220,000 + 86,400 = 306,400$$

$$306,400 \times \frac{6.24}{108} = 17,703$$

(b)　控除対象仕入税額

$$17,703 \times \frac{186,354,545}{197,104,545} = 16,737$$

(2)　有利判定

①　個別対応方式

$$9,609,750 + 17,430 = 9,627,180$$

②　一括比例配分方式

$$9,360,474 + 16,737 = 9,377,211$$

③　① ＞ ②　∴　9,627,180

金額	円
	9,627,180

Ⅲ　差引税額の計算

〔差引税額〕

計　算　過　程　　（単位：円）	金額	円
14,535,612 － 9,627,180 ＝ 4,908,432　→　4,908,400 （百円未満切捨）		4,908,400

Ⅳ　納付税額の計算

〔納付税額〕

計　算　過　程　　（単位：円）	金額	円
4,908,400		4,908,400

　軽減税率の対象品目は、飲食料品（食品表示法に規定する食品（酒類を除く。）をいう。）と週2回以上発行される新聞で定期購読契約に基づくものとなります。

　本問で軽減税率の対象となる品目は、(2)⑤弁当の購入代金と(2)⑧定期購読している日刊新聞の購読料の2つである。

解答	問題21　仕入れに係る消費税額の控除の理論

①　（　　　　課税仕入れを行った日　　　　）　②　（　　　課税貨物を引き取った日　　　）

③　（　　課税仕入れに係る消費税額　　）　④　（　　　　　　課された　　　　　　）

⑤　（　　　　　課されるべき　　　　　）

解　説

　事業者（免税事業者を除く。）が、国内において行う課税仕入れ又は保税地域から引き取る課税貨物については、（**①課税仕入れを行った日**）又は（**②課税貨物を引き取った日**）の属する課税期間の課税標準額に対する消費税額から、その課税期間中に国内において行った（**③課税仕入れに係る消費税額**）、及びその課税期間中における保税地域からの引取りに係る課税貨物につき（**④課された**）又は（**⑤課されるべき**）消費税額の合計額を控除する。

解答	問題22　課税売上割合に準ずる割合

(1)　課税売上割合　　　　　　　　　　　　　　　　　　　　　　　　　　（単位：円）

　　65% ＜ 95%

　　∴　按分計算が必要

(2)　区分経理及び税額

　①　個別対応方式

　　イ　課税資産の譲渡等にのみ要するもの

$$49,810,000 \times \frac{7.8}{110} = 3,531,981$$

ロ　その他の資産の譲渡等にのみ要するもの

$$7,150,000 \times \frac{7.8}{110} = 507,000$$

ハ　共通して要するもの

(a) 課税売上割合適用分

$$27,100,000 \times \frac{7.8}{110} = 1,921,636$$

(b) 準ずる割合適用分

$$2,400,000 \times \frac{7.8}{110} = 170,181$$

ニ　控除対象仕入税額

$$3,531,981 + 1,921,636 \times 65\% + 170,181 \times \frac{150人}{150人+50人} = 4,908,679$$

② 一括比例配分方式

イ　課税仕入れ

$$49,810,000 + 7,150,000 + 29,500,000 = 86,460,000$$

$$86,460,000 \times \frac{7.8}{110} = 6,130,800$$

ロ　控除対象仕入税額

$$6,130,800 \times 65\% = 3,985,020$$

(3) 有利判定

(2)① ＞ (2)②　　∴　4,908,679

解　説

課税売上割合に準ずる割合を使って計算できるのは、個別対応方式で共通して要する課税仕入れ等の税額を按分する部分だけです。按分計算が必要か否かの判定や一括比例配分方式では課税売上割合に準ずる割合は使わず、通常どおり課税売上割合を使います。

解答　問題23　課税売上割合の理論

① （　2年　）　② （　開始する　）　③ （　合理的　）
④ （　所轄税務署長の承認　）

Chapter 7 | 仕入税額控除Ⅱ | 7-30 （217）

⑴　一括比例配分方式の変更制限

　　一括比例配分方式により計算することとした事業者は、その方法により計算することとした課税期間の初日から（①**2年**）を経過する日までの間に（②**開始する**）各課税期間においてその方法を継続して適用した後の課税期間でなければ、個別対応方式により計算することはできない。

⑵　個別対応方式における課税売上割合に準ずる割合の適用

　　個別対応方式による場合において、課税売上割合に準ずる割合で次の要件のすべてを満たすときは、(b)の承認を受けた日の属する課税期間以後の課税期間については、個別対応方式の課税資産の譲渡等とその他の資産の譲渡等に共通して要する課税仕入れ等の税額の合計額に課税売上割合を乗じて計算した金額は課税売上割合に代えて、その割合を用いて計算した金額とする。

　　ただし、課税売上割合に準ずる割合の不適用届出書を提出した日の属する課税期間以後の課税期間については、この限りではない。

(a)　事業者の営む事業の種類又はその事業に係る費用の種類に応じ（③**合理的**）に算定される割合であること

(b)　納税地の（④**所轄税務署長の承認**）を受けたものであること

解答	問題24　帳簿等の保存の理論

問1

①	（　　帳簿　　）	②	（　　請求書等　　）	③	（　　困難である　　）
④	（　　閉鎖の日　　）	⑤	（　　受領した日　　）	⑥	（　　2月　　）

問2

①	課税仕入れの相手方の氏名又は名称
②	課税仕入れを行った年月日
③	課税仕入れに係る資産又は役務の内容（その課税仕入れが他の者から受けた軽減対象課税資産の譲渡等に係るものである場合には、資産の内容及び軽減対象課税資産の譲渡等に係るものである旨）
④	課税仕入れに係る支払対価の額（その課税仕入れの対価として支払い、又は支払うべき一切の金銭又は金銭以外の物若しくは権利その他経済的な利益の額とし、その課税仕入れに係る資産を譲り渡し、若しくは貸し付け、又はその課税仕入れに係る役務を提供する事業者に課されるべき消費税額並びに地方消費税額に相当する額がある場合には、その相当する額を含む。）

解　説

問1

⑴　帳簿等の保存

　　仕入れに係る消費税額の控除の規定は、事業者がその課税期間の課税仕入れ等の税額の控除に係る（**①帳簿**）及び（**②請求書等**）（※1）を保存しない場合には、その保存がない部分に係る課税仕入れ等の税額については、適用しない。

　　ただし、災害その他やむを得ない事情によりその保存をすることができなかったことを証明した場合は、この限りでない。

　（※1）　次のいずれかの場合には帳簿

　　　⒜　請求書等の交付を受けることが（**③困難である**）場合

　　　⒝　その他一定の場合

⑵　保存期間

　　仕入れに係る消費税額の控除の規定の適用を受けようとする事業者は、帳簿及び請求書等を整理し、その帳簿についてはその（**④閉鎖の日**）、その請求書等についてはその（**⑤受領した日**）の属する課税期間の末日の翌日から（**⑥2月**）を経過した日から7年間、納税地又は事務所等の所在地に保存しなければならない。

　　なお、上記翌日から2月を経過した日から5年を経過した日以後は、帳簿又は請求書等のいずれかによることができる。

問2

　事業者が仕入税額控除を適用するためには、消費税法に規定する要件を満たした帳簿及び請求書等を保存しなければなりません。

　このうち、帳簿について課税仕入れに係るものである場合には、次の事項が記載されていなければならないものとされています。（法30⑧一）

①　課税仕入れの相手方の氏名又は名称

②　課税仕入れを行った年月日

③　課税仕入れに係る資産又は役務の内容（その課税仕入れが他の者から受けた軽減対象課税資産の譲渡等に係るものである場合には、資産の内容及び軽減対象課税資産の譲渡等に係るものである旨）

④　課税仕入れに係る支払対価の額（その課税仕入れの対価として支払い、又は支払うべき一切の金銭又は金銭以外の物若しくは権利その他経済的な利益の額とし、その課税仕入れに係る資産を譲り渡し、若しくは貸し付け、又はその課税仕入れに係る役務を提供する事業者に課されるべき消費税額並びに地方消費税額に相当する額がある場合には、その相当する額を含む。）

　なお、帳簿の他に請求書等についても、消費税法で定められた事項が記載されていなければならないこととされています。

1　X社に対する金型の輸出

> A社のX社に対する金型の輸出販売は、本邦からの輸出として行われる資産の譲渡であるた
> め、輸出取引等に該当し、輸出証明を要件として、A社において輸出免税の規定が適用され
> る。

2　B社に対する金型の製造の発注

> B社のA社に対する金型の製造販売は、国内における資産の譲渡であるため、輸出取引等に
> 該当せず、B社において輸出免税の規定は適用されない。
> したがって、A社において金型の発注は課税仕入れに該当し、帳簿及び請求書等の保存を要
> 件として、仕入れに係る消費税額の控除の規定が適用される。

3　C社に対する運送料の支払い

> C社のA社に対する保税地域までの貨物の搬入は、保税地域以外の国内における役務の提供
> であるため、輸出取引等に該当せず、C社において輸出免税の規定は適用されない。
> したがって、A社において運送料の支払いは課税仕入れに該当し、帳簿及び請求書等の保存
> を要件として、仕入れに係る消費税額控除の規定が適用される。

4　D社に対する輸出申告手数料及び運送積み込み料の支払い

> D社の行う輸出申告は、保税地域における内国貨物に係る役務の提供であり、輸出許可後の
> 貨物の運送・積み込み作業は外国貨物に係る役務の提供であるため、いずれも輸出取引等に
> 該当し、輸出証明を要件として、D社において輸出免税の規定が適用される。
> したがって、A社において当該取引は課税仕入れに該当せず、仕入れに係る消費税額の控除
> の規定は適用されない。

解　説

　A社にとっての各取引が売上側の取引なのか、仕入側の取引なのかを確認し、売上側の取引であ
れば、取引分類の手順に従って分類方法を説明し、最後に分類の結論を書きます。
　仕入側の取引の場合は、取引の相手方の売上げを、上記と同じように説明し、その結果として仕
入側の課税仕入れに該当するか否かを記載します。

Chapter 8　売上げに係る対価の返還等Ⅱ

解答	問題 1　売上げに係る対価の返還等(1)

Ⅰ　課税標準額に対する消費税額の計算

〔課税標準額〕

計　算　過　程	（単位：円）
$420,000,000 \times \dfrac{100}{110} = 381,818,181 \rightarrow 381,818,000$　（千円未満切捨）	

	金額	円 381,818,000

〔課税標準額に対する消費税額〕

計　算　過　程　（単位：円）	金額	円
$381,818,000 \times 7.8\% = 29,781,804$		29,781,804

Ⅱ　仕入れに係る消費税額の計算等

〔控除対象仕入税額〕

計　算　過　程　（単位：円）	金額	円
$315,000,000 \times \dfrac{7.8}{110} = 22,336,363$		22,336,363

〔売上げの返還等対価に係る税額〕

計　算　過　程　（単位：円）	金額	円
$210,000 \times \dfrac{7.8}{110} = 14,890$		14,890

〔控除税額小計〕

計　算　過　程　（単位：円）	金額	円
$22,336,363 + 14,890 = 22,351,253$		22,351,253

Ⅲ　差引税額の計算

〔差引税額〕

計　算　過　程　（単位：円）	金額	円
$29,781,804 - 22,351,253 = 7,430,551 \rightarrow 7,430,500$ （百円未満切捨）		7,430,500

Ⅳ 納付税額の計算

〔納付税額〕

計　算　過　程　　　　（単位：円）	金	円
7,430,500－1,900,000＝5,530,500	額	5,530,500

解　説

1　売上げの返還等対価に係る税額は以下の算式に基づいて計算します。

売上げに係る税込対価の返還等金額の合計額 $\times \dfrac{7.8}{110}$ *01) ＝売上げの返還等対価に係る税額

　*01)　令和元年9月30日以前の売上げに係るものは $\dfrac{6.3}{108}$

2　売上値引戻りのうち、輸出売上高に係るもの 190,000 円は、輸出免税等の規定により販売時に消費税が免除されているため、売上げに係る対価の返還等に係る消費税額の控除の規定は適用しません。

3　売上げの返還等対価に係る税額は、控除税額小計に含めます。

解答　問題2　売上げに係る対価の返還等(2)

売上げの返還等対価に係る税額　　　821,492　円

解　説　（単位：円）

返品高 2,354,400＋割戻し高 617,150＋割引 3,213,600＋奨励金 5,400,000＝11,585,150

11,585,150 $\times \dfrac{7.8}{110}$ ＝821,492

売上げに係る対価の返還等には、売上割引及び金銭で支払われる販売奨励金も含まれます。

解答　問題3　売上げに係る対価の返還等(3)

売上げの返還等対価に係る税額　　　956,740　円

解 説 （単位：円）

1　売上げに係る対価の返還等に該当するものには、以下のものがあります。

項　目	内　容
売上返品・値引き	売上商品が返品されることによる返金、約定違反等により売上金額の減額をしたもの
売上割戻し （リベート）	一定期間に一定額又は一定量の取引をした取引先に対する代金の一部返戻（リベート）
売上割引 （基通14－1－4）	売掛金等が支払期日の前に決済されたことにより取引先に支払うもの
販売奨励金 （基通14－1－2）	販売促進の目的で販売数量、販売高等に応じて取引先に対して金銭を支払うもの
事業分量配当金 （基通14－13）	協同組合等が組合員等に支払う事業分量配当金で、課税資産の譲渡等の分量等に応じて支払うもの
船舶の早出料 （基通14－1－1）	貨物の積込み期間が契約より短かったために支払う運賃の割戻し

　本問では、このうち売上返品・値引き、売上割戻し、売上割引、販売奨励金を出題しています。売上割引と販売奨励金も範囲に含まれる点に注意しましょう。

値引戻り（5,250,000－525,000）＋割戻し3,937,500＋奨励金4,200,000＋割引630,000

＝13,492,500

$13,492,500 \times \dfrac{7.8}{110} = 956,740$

2　税額控除の適用を受けない取引

以下の取引は、消費税が課されていないため、税額控除の規定を適用しません。

①　輸出免税売上げに係る対価返還等
②　非課税売上げに係る対価返還等
③　不課税売上げに係る対価返還等

　本問では、売上戻りのうち輸出売上げから生じた525,000円が輸出免税売上げに係る対価返還等に該当し、土地の譲渡に係る値引210,000円が非課税売上げに係る対価返還等に該当するため、売上げの返還等対価に係る税額の計算には含めません。

Ⅰ　課税標準額に対する消費税額の計算

〔課税標準額〕

計　算　過　程	（単位：円）
売上高　　18,900,000 $18,900,000 \times \dfrac{100}{110} = 17,181,818 \rightarrow 17,181,000$（千円未満切捨）	

	円
金 額	17,181,000

〔課税標準額に対する消費税額〕

計　算　過　程　　　　（単位：円）	金 額	円
$17,181,000 \times 7.8\% = 1,340,118$		1,340,118

Ⅱ　仕入れに係る消費税額の計算等

〔課税売上割合〕

計　算　過　程	（単位：円）
(1)　課税売上高 　　①　国内売上 17,181,818＋輸出売上 8,925,000＝26,106,818 　　②　返品高 262,500＋奨励金 157,500＋割引 94,500＝514,500 　　　　$514,500 \times \dfrac{100}{110} + 154,875 = 622,602$ 　　③　①－②＝25,484,216 (2)　非課税売上高 　　受取利息 600,000＋株式売却 2,500,000×5％＝725,000 (3)　課税売上割合 　　$\dfrac{(1)}{(1)+(2)} = \dfrac{25,484,216}{26,209,216} = 0.9723 \cdots \geqq 95\%$ 　　$25,484,216 \leqq 500,000,000$ 　　∴　按分計算は不要	

課 税 売 上 割 合	25,484,216	円
	26,209,216	円

〔控除対象仕入税額〕

計　算　過　程		（単位：円）
商品仕入 13,650,000＋促進費 105,000＋手数料 50,000＋通勤手当 420,000＋その他 840,000 ＝15,065,000 $15,065,000 \times \dfrac{7.8}{110} = 1,068,245$	金 額	円 1,068,245

〔売上げの返還等対価に係る税額〕

計　算　過　程　（単位：円）	金	円
$514,500 \times \dfrac{7.8}{110} = 36,482$	額	36,482

〔控除税額小計〕

計　算　過　程　（単位：円）	金	円
1,068,245＋36,482＝1,104,727	額	1,104,727

Ⅲ　差引税額の計算

〔差引税額〕

計　算　過　程　（単位：円）	金	円
1,340,118－1,104,727＝235,391　→　235,300 （百円未満切捨）	額	235,300

Ⅳ　納付税額の計算

〔納付税額〕

計　算　過　程　（単位：円）	金	円
235,300	額	235,300

解　説

1　課税売上割合

(1)　課税売上高

① 総課税売上高（税抜）

　課税売上げの合計額（税込）$\times \dfrac{100}{110}$ ＋免税売上げの合計額

② 課税売上げに係る返還等の金額（税抜）

$$\left(\begin{array}{l}\text{国内課税売上げに係る}\\\text{返還等の金額（税込）}\end{array} - \begin{array}{l}\text{国内課税売上げに係る}\\\text{返還等の金額（税込）}\end{array} \times \frac{7.8}{110} \times \frac{100}{78}\right) + \begin{array}{l}\text{免税売上げに係る}\\\text{返還等の金額}\end{array}$$

国税 7.8%の税額 ←

国税 7.8%＋地方税 2.2%
＝10%の税額 ←

③ 課税売上高（税抜）

①－②

　なお、課税売上げに係る返還等の金額（税抜）は、以下の計算方法で解答することも認められます。（本間の解答はこの計算方法で計算しています。）

$$\text{国内課税売上げに係る返還等の金額（税込）} \times \frac{100}{110} + \text{免税売上げに係る返還等の金額}$$

(2) 非課税売上高

　　株式・公社債等の売却は、譲渡対価の５％を非課税売上高に含めることに注意しましょう。

(3) 課税売上割合

　　当課税期間の課税売上割合が 95％以上、かつ、課税売上高が５億円以下の場合には、仕入れに係る消費税額を全額控除します。

2　売上げの返還等対価に係る税額

　　輸出販売に係る値引きと、販売促進費のうち販売店の従業員を国内旅行に招待した費用は、売上げに係る対価の返還等には該当しません。なお、販売店の授業員を国内旅行に招待した費用は課税仕入れとして扱われ控除対象仕入税額の計算上、考慮する必要があります。

＜販売促進費における売上げに係る対価の返還等の取扱い＞

　　売上げに係る対価の返還等の対象となるものは、返品を除き金銭による返還又は債権金額の減額だけです。そのため、販売促進費などに含まれる商品等の現物による割戻しや販売奨励として得意先を旅行に招待した費用は売上げに係る対価の返還等には該当しません。なお、これらは課税仕入れとして扱われ、仕入税額控除の対象に含まれます。

| 解答 | 問題5　売上げに係る対価の返還等(5) |

(1)、(3)

解　説

(1)　課税事業者が、課税事業者である当課税期間に課税資産の譲渡に係る対価の返還等を行っているので、売上げに係る対価の返還等に係る消費税額の控除の規定を適用できます。

(2)　課税資産の譲渡を行った前課税期間は免税事業者であったため、消費税の納税義務が生じていません。したがって、その後に課税事業者となり、免税事業者であった期間に行った課税資産の譲渡に係る返還等を行った場合であっても、売上げに係る対価の返還等に係る消費税額の控除の規定を適用できません。

(3)　売上げに係る対価の返還等に係る消費税額の控除の規定の適用時期は、売上げに係る対価の返還等をした日の属する課税期間です。

　　そのため、当課税期間に返還等されていれば前課税期間以前の売上げに係るものでも、当課税期間に売上げに係る対価の返還等に係る消費税額の控除の規定を適用できます。

(4)　免税事業者は、消費税の納税義務がありません。そのため、免税事業者に該当する課税期間に、課税事業者であった課税期間に行った課税資産の譲渡等につき、売上げに係る対価の返還等を行った場合であっても、売上げに係る対価の返還等に係る消費税額の控除の規定を適用できません。

(5)　土地の譲渡は、非課税取引に該当し、消費税は課されません。そのため、当該取引には控除すべき消費税額がないので、値引きがあった場合でも売上げに係る対価の返還等に係る消費税額の控除の規定を適用できません。

解答	問題6　売上げに係る対価の返還等(6)

売上げの返還等対価に係る税額　　　　70,696　　円

解　説　　（単位：円）

$$997,000 \times \frac{7.8}{110} = 70,696$$

(1)　売上げに係る対価の返還等の規定が適用される売上値引きは、会計と同様に約定違反等による売上金額の減額を指します。

　　したがって、ポイントカードによる値引きはこれにあたらないため、売上げに係る対価の返還等には該当しません。

　　なお、ポイントカードによる値引額は、バーゲン等の値引額と同じように課税資産の譲渡等の対価として収受した金額とその取引に係る資産の通常の販売価額との単なる差額であり、消費税法では通常の販売価額ではなく、対価として収受した金額を課税標準額に含めて計算することと

なっているため、値引きとして取り扱われた部分は消費税法ではなんら考慮されません。

(2) キャッシュバックは、販売促進の目的で販売高に応じて顧客に金銭により支払うものであるため、消費税法上、販売奨励金と同様に売上げに係る対価の返還等に該当します。

| 解答 | 問題7　売上げに係る対価の返還等の理論 |

問1　「売上げに係る対価の返還等をした場合」の意義

> 売上げに係る対価の返還等とは、事業者が国内において行った課税資産の譲渡等（特定資産の譲渡等に該当するもの及び輸出免税取引等を除く。以下同じ。）につき返品、値引き、割戻しによる課税資産の譲渡等の税込価額の全部若しくは一部の返還又はその税込価額に係る売掛金等の全部若しくは一部の減額をいう。

問2　売上げに係る対価の返還等の金額に係る消費税額の控除の控除要件

(1) 売上げに係る対価の返還等をした場合（意義を除く。）

> 事業者（免税事業者を除く。）が、国内において行った課税資産の譲渡等（特定資産の譲渡等に該当するもの及び輸出免税取引等を除く。）につき、売上げに係る対価の返還等をした場合には、その売上げに係る対価の返還等をした日の属する課税期間の課税標準額に対する消費税額から売上げに係る対価の返還等の金額に係る消費税額の合計額を控除する。

(2) 帳簿の保存等

① 帳簿の保存等

> 売上げに係る対価の返還等をした場合の消費税額の控除の規定は、事業者がその売上げに係る対価の返還等をした金額の明細を記録した帳簿を保存しない場合には、その保存がない部分に係る消費税額については適用しない。
>
> ただし、災害その他やむを得ない事情によりその保存をすることができなかったことを証明した場合はこの限りでない。

② 保存期間

> ①の事業者は、記録した帳簿を整理し、これをその閉鎖の日の属する課税期間の末日の翌日から2月を経過した日から7年間、これを納税地又は事務所等の所在地に保存しなければならない。

③ 記載事項等

売上げに係る対価の返還等をした場合の消費税額の控除の規定の適用を受けようとする事業
者は、次の事項を帳簿に整然と、かつ、明瞭に記録しなければならない。
イ　売上げに係る対価の返還等を受けた者の氏名又は名称
ロ　売上げに係る対価の返還等を行った年月日
ハ　売上げに係る対価の返還等に係る課税資産の譲渡等に係る資産又は役務の内容（軽減税
率が適用されるものである場合には、その資産の内容と軽減税率が適用される旨）
ニ　税率の異なるごとに区分した売上げに係る対価の返還等をした金額

解説

　本試験の個別理論の問題では、本問のように、答案用紙において解答箇所が指定されていることがあります。このような問題では、答案用紙の解答箇所にあわせて、個別理論を分解して解答する必要があります。なお、内容については「理論集」の「売上げに係る対価の返還等をした場合の消費税額の控除」を参照してください。

Chapter 9　貸倒れに係る消費税額の控除等 II

解答	問題1　貸倒れに係る消費税額の控除(1)

貸倒れに係る消費税額　｜　559,827　｜円

解説　（単位：円）

(2)　免税取引に係る債権の貸倒れであるため、税額控除の対象となりません。

(3)　非課税取引に係る債権の貸倒れであるため、税額控除の対象となりません。

(4)　不課税取引に係る債権の貸倒れであるため、税額控除の対象となりません。

(5)　居住用建物の譲渡は課税取引となるため、その譲渡に係る債権の貸倒れは税額控除の対象となります。

(6)　居住者に対する特許権（無形固定資産）の譲渡は課税取引となるため、その譲渡に係る債権の貸倒れは税額控除の対象となります。

対象となる債権について消費税額を計算します。

$$(2,625,000+2,120,000+3,150,000) \times \frac{7.8}{110} = 559,827$$

解答	問題2　貸倒れの範囲

(1)　｜　4,000,000　｜円

(2)　｜　0　｜円

(3)　｜　2,500,000　｜円

(4)　｜　0　｜円

(5)　｜　0　｜円

(6)　｜　43,998　｜円

解　説

(1)　会社更生法の適用を申請し、同法による更生計画認可の決定を受けているため、課税資産の譲渡等に係る債権の切捨額が税額控除の対象となる貸倒損失額となります。したがって、売掛金の切捨額 4,000,000 円が貸倒損失額です。

　　なお、貸付金は不課税取引に係る債権であるため、貸倒れによる消費税額の控除の規定が適用されません。

(2)　民事再生法の適用申請が行われていますが、同法による再生計画認可の決定を受けていません。したがって、貸倒れに係る消費税額の控除の規定は適用されません。

(3)　債務超過の状態が相当期間継続し債務の弁済が不可能であると認められ、書面により債務免除を行っているため、書面による免除額が税額控除の対象となる貸倒損失額となります。したがって、売掛金の免除額 2,500,000 円が貸倒損失額です。

(4)　財産の状況、支払能力等から見て債務を弁済できないことが明らかですが、売掛金の一部のみが回収不可能であり、全額が回収不可能なわけではありません。

　　したがって、貸倒れに係る消費税額の控除の規定は適用されません。

(5)　継続的な取引を行っていた E 社との取引を停止後 1 年以上経過しています。しかし、E 社に対する債権についての担保物が未処分であるため、貸倒れに係る消費税額の控除の規定は適用されません。

(6)　同一地域の債務者について有する債権の総額がその取立費用に満たない場合であって、その債務者に対し支払いを督促したにもかかわらず弁済がないことが該当します。したがって、売掛金から取引先ごとに備忘価額 1 円を控除した金額が貸倒損失額です。

　　(20,000 円 － 1 円) ＋ (24,000 円 － 1 円) ＝ 43,998 円

解答	問題 3　貸倒れの意義及び税額控除の適用要件

(1)　貸倒れの意義

> 貸倒れとは、課税資産の譲渡等（特定資産の譲渡等に該当するもの及び輸出免税取引等を除く。以下同じ。）の相手方に対する売掛金その他の債権につき一定の事実が生じたため、その課税資産の譲渡等の税込価額の全部又は一部を領収することができなくなったことをいう。

(2)　貸倒れに係る消費税額の控除の適用要件

> 事業者がその債権につき一定の事実が生じたことを証する書類を保存することをいう。

(3) 貸倒れに係る消費税額の控除の規定が適用される一定の事実

①	更生計画認可の決定により債権の切捨てがあったこと
②	再生計画認可の決定により債権の切捨てがあったこと
③	特別清算に係る協定の認可の決定により債権の切捨てがあったこと
④	債務者の財産の状況、支払能力等からみてその債務の全額を弁済できないことが明らかである

解 説

　貸倒れに係る消費税額の控除の適用を受けるためには、一定の事実が生じたことを証する書類の保存が必要です。(法39②)

　なお、災害等のやむを得ない事情により、その保存をすることができなかったことをその事業者において証明した場合には、書類の保存がなくても、「貸倒れに係る消費税額の控除」を行うことができます。

解答　問題4　貸倒れに係る消費税額の控除の理論(1)

　K社のS社に対する商品販売に係る売掛金の貸倒れは、課税資産の譲渡等（特定資産の譲渡等に該当するもの及び輸出免税取引等を除く。以下同じ。）に係る債権につき再生計画認可の決定により領収することができなくなった場合に該当するため、貸倒れに係る消費税額の控除の規定の適用を受ける。

　したがって、その商品販売に係る売掛金 800,000 円に係る消費税額を、課税標準額に対する消費税額から控除することができる。

解 説

　「課税標準額に対する消費税額から控除することができるかどうかをその理由を示して述べなさい。」と問われていることから、問題文に沿って「〜控除することができる。又は、できない。」というような答え方で、結論部分を述べるようにしましょう。

　なお、本問の事例における解答の思考過程は以下のとおりです。

1　貸倒れに係る消費税額の控除（法39①）

　　課税資産の譲渡等（特定資産の譲渡等に該当するもの及び輸出免税取引等に該当するものを除

く。）の相手方に対する債権の再生計画認可の決定による債権の切捨てに該当

→貸倒れの事由に該当

→貸倒れに係る消費税額の控除の適用がある（相手方が免税事業者であるか否かは問わない。）

2　結論

　　課税標準額に対する消費税額から控除することができる。

解答　問題5　貸倒れに係る消費税額の控除の理論⑵

　A社に係る更生計画認可の決定は、甲社の翌課税期間以後となる見込みであるので、当課税期間は、課税資産の譲渡等の税込価額の全部又は一部の領収をすることができないこととなった日の属する課税期間には該当しない。したがって、当課税期間において、課税標準額に対する消費税額から控除することはできない。

解　説

　貸倒れに係る一定の事実とは、会社更生法に規定する更生計画認可の決定により債権の切捨てがあったことをいいます。会社更生法の適用申請ではないことに注意してください。

解答　問題6　控除過大調整税額⑴

控除過大調整税額　　　　　267,327　円

解　説　（単位：円）

$$（　⑵　3,140,000＋⑷　630,000　）\times\frac{7.8}{110}＝267,327$$

⑴　免税取引に係る債権の貸倒額の回収であるため、調整の対象となりません。

⑶　非課税取引に係る債権の貸倒額の回収であるため、調整の対象となりません。

⑷　駐車場施設の賃貸料は施設の利用に伴う土地の利用であり、課税取引に該当し、その貸倒額の回収は調整の対象となります。

控除過大調整税額 ⬚ 19,003 円

解　説　（単位：円）

(1)① $268,000 \times \dfrac{7.8}{110} = 19,003$

(a) 身体障害者用物品の販売は非課税売上げであり、非課税売上げに係る債権の回収は、控除過大調整税額の計算対象となりません。

(b) 貸付金に係る債権の回収も、控除過大調整税額の計算対象となりません。

(c) 免税事業者であった課税期間の売上げに係る債権を回収した場合は、控除過大調整税額の計算対象となりません。

解答 | 問題8　貸倒れに係る消費税額の控除(2)

Ⅰ　課税標準額に対する消費税額の計算

〔課税標準額〕

計　算　過　程　　（単位：円）	
$68,500,000 \times \dfrac{100}{110} = 62,272,727 \rightarrow 62,272,000$（千円未満切捨）	
金額	円 62,272,000

〔課税標準額に対する消費税額〕

計　算　過　程　（単位：円）	金額	円
$62,272,000 \times 7.8\% = 4,857,216$		4,857,216

〔控除過大調整税額〕

計　算　過　程　（単位：円）	金額	円
$398,000 \times \dfrac{7.8}{110} = 28,221$		28,221

Ⅱ　仕入れに係る消費税額の計算等

〔控除対象仕入税額〕

計　算　過　程　　　　　（単位：円）	金	円
$40,950,000 \times \dfrac{7.8}{110} = 2,903,727$	額	2,903,727

〔売上げの返還等対価に係る税額〕

計　算　過　程　　　　　（単位：円）	金	円
$341,250 \times \dfrac{7.8}{110} = 24,197$	額	24,197

〔貸倒れに係る税額〕

計　算　過　程　　　　　（単位：円）	金	円
$1,365,000 \times \dfrac{7.8}{110} = 96,790$	額	96,790

〔控除税額小計〕

計　算　過　程　　　　　（単位：円）	金	円
$2,903,727 + 24,197 + 96,790 = 3,024,714$	額	3,024,714

Ⅲ　差引税額の計算

〔差引税額〕

計　算　過　程　　　　　（単位：円）	金	円
$4,857,216 + 28,221 - 3,024,714 = 1,860,723 \ \rightarrow \ 1,860,700$ （百円未満切捨）	額	1,860,700

Ⅳ　納付税額の計算

〔納付税額〕

計　算　過　程　　　　　（単位：円）	金	円
$1,860,700 - 500,000 = 1,360,700$	額	1,360,700

解　説

1　償却債権取立益に係る税額は控除過大調整税額として、課税標準額に対する消費税額に加算します。

2　貸付金の回収不能額は、不課税取引に係る回収不能額であるため、貸倒れに係る消費税額の控除の対象となりません。

Ⅰ　課税標準額に対する消費税額の計算

〔課税標準額〕

計　算　過　程　（単位：円）		
売上高　　64,815,000−3,100,000＝61,715,000 $61,715,000 \times \dfrac{100}{110} = 56,104,545 \;\rightarrow\; 56,104,000$　（千円未満切捨）		
	金額	円 56,104,000

〔課税標準額に対する消費税額〕

計　算　過　程　（単位：円）	金額	円
$56,104,000 \times 7.8\% = 4,376,112$		4,376,112

〔控除過大調整税額〕

計　算　過　程　（単位：円）	金額	円
$316,000 \times \dfrac{7.8}{110} = 22,407$		22,407

Ⅱ　仕入れに係る消費税額の計算等

〔控除対象仕入税額〕

計　算　過　程　（単位：円）	金額	円
$47,875,000 \times \dfrac{7.8}{110} = 3,394,772$		3,394,772

〔売上げの返還等対価に係る税額〕

計　算　過　程　（単位：円）	金額	円
$1,575,000 \times \dfrac{7.8}{110} = 111,681$		111,681

〔貸倒れに係る税額〕

計　算　過　程　（単位：円）	金額	円
$1,050,000 \times \dfrac{7.8}{110} = 74,454$		74,454

〔控除税額小計〕

計　算　過　程　（単位：円）	金	円
3,394,772＋111,681＋74,454＝3,580,907	額	3,580,907

Ⅲ　差引税額の計算

〔差引税額〕

計　算　過　程　（単位：円）	金	円
4,376,112＋22,407－3,580,907＝817,612 → 817,600 （百円未満切捨）	額	817,600

Ⅳ　納付税額の計算

〔納付税額〕

計　算　過　程　（単位：円）	金	円
817,600－245,000＝572,600	額	572,600

解　説

(1)　貸倒損失は商品売上げに係るものであり、会社更生法による更生計画認可の決定による債権の切捨てであり、貸倒れの範囲に含まれるため、税額控除の対象となります。

(2)　償却債権取立益のうち有価証券の売却に係る債権は非課税売上げに係る債権であるため、調整の対象となりませんが、車両の売却代金に係る債権は課税売上げに係る債権となるため、調整の対象となります。

解答 | 問題 10　貸倒れに係る消費税額の控除(4)

Ⅰ　課税標準額に対する消費税額の計算

〔課税標準額〕

計　算　過　程	（単位：円）
$11,205,000 \times \dfrac{100}{110} = 10,186,363 \rightarrow 10,186,000$（千円未満切捨）	

	金	円
	額	10,186,000

〔課税標準額に対する消費税額〕

計　算　過　程　（単位：円）	金額	円
$10,186,000 \times 7.8\% = 794,508$		794,508

〔控除過大調整税額〕

計　算　過　程　（単位：円）	金額	円
免税事業者時に貸倒れ処理をしているため適用なし		0

Ⅱ　仕入れに係る消費税額の計算等

〔控除対象仕入税額〕

計　算　過　程　（単位：円）	金額	円
$8,950,000 \times \dfrac{7.8}{110} = 634,636$		634,636

〔貸倒れに係る税額〕

計　算　過　程　（単位：円）	金額	円
$365,000 \times \dfrac{7.8}{110} = 25,881$		25,881

〔控除税額小計〕

計　算　過　程　（単位：円）	金額	円
$634,636 + 25,881 = 660,517$		660,517

Ⅲ　差引税額の計算

〔差引税額〕

計　算　過　程　（単位：円）	金額	円
$794,508 - 660,517 = 133,991 \ \rightarrow \ 133,900$ （百円未満切捨）		133,900

Ⅳ　納付税額の計算

〔納付税額〕

計　算　過　程　（単位：円）	金額	円
133,900		133,900

解　説

　貸倒れに係る消費税額の計算は、免税事業者であった課税期間の売上げに関しては、その売上げに消費税が課されていないため、適用できません。

　また、控除過大調整税額の調整も免税事業者であった課税期間の売上げに係る債権を回収した場合や免税事業者であった課税期間に貸倒れた債権を回収した場合には調整の必要はありません。

1　償却債権取立益について

　免税事業者であった前課税期間の貸倒れであるため、調整の必要はありません。

　なお、対象となる金額（取引）がない場合には、金額欄に「0」を記載し、計算過程欄に理由を付します。

2　貸倒れについて

　3．⑴①の当課税期間の課税売上げに係るものは、課税事業者である当課税期間の売上げに対する貸倒れであるため、税額控除の対象となります。

　また、3．⑴②の前課税期間の課税売上げに係るものは、免税事業者であった前課税期間の売上げに対する貸倒れであるため、税額控除の対象となりません。

Chapter10　仕入れに係る対価の返還等Ⅱ

解答	問題1　仕入れに係る対価の返還等(1)

(1)　課税売上割合　　　　　　　　　　　　　　　　　（単位：円）

95% ≧ 95%

15,000,000 ≦ 500,000,000

∴　按分計算は不要

(2)　控除対象仕入税額

①　課税仕入れ

$8,925,000 \times \dfrac{7.8}{110} = 632,863$

②　仕入返還等

$(262,500 + 52,500 + 88,200 + 315,000) \times \dfrac{7.8}{110} = 50,926$

③　控除対象仕入税額

①－②＝581,937

解　説

仕入割引や販売奨励金も仕入れに係る対価の返還等の範囲に含まれる点に注意しましょう。

項　目	内　容
仕入返品・値引き	仕入れた商品を返品することによる返金、約定違反等により仕入金額の減額を受けたもの
仕入割戻し （リベート）	一定期間に一定額又は一定量の取引をした仕入先からの代金の一部返戻（リベート）
仕入割引 （基通12-1-4）	買掛金等を支払期日よりも前に決済したことにより取引先から支払いを受けるもの
販売奨励金 （基通12-1-2）	販売促進の目的で販売数量、販売高等に応じて取引先から金銭により支払いを受けるもの

問 1

(1) 課税売上割合　　　　　　　　　　　　　　　　　　　　　　　（単位：円）

95% ≧ 95%

20,000,000 ≦ 500,000,000

∴　按分計算は不要

(2) 控除対象仕入税額

① 課税仕入れ

15,750,000＋525,000＋2,625,000＝18,900,000

$18,900,000 \times \dfrac{7.8}{110} = 1,340,181$

② 仕入返還等

$336,000 \times \dfrac{7.8}{110} = 23,825$

③ 控除対象仕入税額

①－②＝1,316,356

問 2

(1) 課税売上割合　　　　　　　　　　　　　　　　　　　　　　　（単位：円）

80% ＜ 95%

∴　按分計算が必要

(2) 控除対象仕入税額

① 区分経理及び税額

イ　個別対応方式

(a) 課税資産の譲渡等にのみ要するもの

㋑ 課税仕入れ

$15,750,000 \times \dfrac{7.8}{110} = 1,116,818$

㋺ 仕入返還等

$189,000 \times \dfrac{7.8}{110} = 13,401$

㋩ ㋑－㋺＝1,103,417

(b) その他の資産の譲渡等にのみ要するもの

$525,000 \times \dfrac{7.8}{110} = 37,227$

(c) 共通して要するもの

　　イ　課税仕入れ

$$2,625,000 \times \frac{7.8}{110} = 186,136$$

　　ロ　仕入返還等

$$147,000 \times \frac{7.8}{110} = 10,423$$

(d) 控除対象仕入税額

$$1,103,417 + (186,136 \times 80\% - 10,423 \times 80\%) = 1,243,987$$

ロ　一括比例配分方式

(a) 課税仕入れ

$$15,750,000 + 525,000 + 2,625,000 = 18,900,000$$

$$18,900,000 \times \frac{7.8}{110} = 1,340,181$$

(b) 仕入返還等

$$336,000 \times \frac{7.8}{110} = 23,825$$

(c) 控除対象仕入税額

$$1,340,181 \times 80\% - 23,825 \times 80\% = 1,053,084$$

② 有利判定

①イ ＞ ②ロ　　∴　1,243,987

解　説

1　課税売上割合が 95%、かつ、課税売上高が 20,000,00 円の場合

　その課税期間の課税売上割合が 95% 以上、かつ、課税売上高が 500,000,000 円以下の場合は、課税仕入れ等の税額を全額控除できるため、仕入れに係る対価の返還等に係る消費税額も全額差し引きます。

> 課税仕入れ等の　　仕入れに係る対価の　　控除対象
> 税額の合計額　ー　返還等に係る消費税額　＝　仕入税額

2　上記以外の場合

　以下の算式に基づき、それぞれの控除対象仕入税額を計算し、金額の大きい方を選択します。

① 個別対応方式

$$\underset{\substack{\text{課税資産の譲渡等にのみ要する}\\\text{課税仕入れ等の税額の合計額}}}{} - \underset{\substack{\text{課税資産の譲渡等にのみ要する}\\\text{仕入れに係る対価の返還等に係る消費税額}}}{} = Ⓐ$$

$$\underset{\substack{\text{共 通 し て 要 す る}\\\text{課税仕入れ等の税額の合計額}}}{} × \underset{\substack{\text{課税売上}\\\text{割 合}}}{} - \underset{\substack{\text{共 通 し て 要 す る}\\\text{仕入れに係る対価の返還等に係る消費税額}}}{} × \underset{\substack{\text{課税売上}\\\text{割 合}}}{} = Ⓑ$$

$$Ⓐ \quad + \quad Ⓑ \quad = 控除対象仕入税額$$

② 一括比例配分方式

$$\underset{\substack{\text{課税仕入れ等の}\\\text{税額の合計額}}}{} × \underset{\substack{\text{課税売上}\\\text{割 合}}}{} - \underset{\substack{\text{仕入れに係る対価の}\\\text{返還等に係る消費税額}}}{} × \underset{\substack{\text{課税売上}\\\text{割 合}}}{} = \underset{\substack{\text{控除対象}\\\text{仕入税額}}}{}$$

解答	問題3 　仕入れに係る対価の返還等⑶

⑶

解 説

⑴ 本取引は、非課税仕入れに係る対価の返還に該当します。非課税仕入れの場合、仕入れ時に消費税は課されません。そのため、この取引には、控除すべき消費税額がないので、仕入れに係る対価の返還等に係る消費税額の控除の特例の規定は適用されません。

⑵ 仕入れ時に免税事業者であったため、仕入れ時に納税義務はなく、仕入税額控除の適用を受けていません。そのため、その後の課税期間において課税事業者となり、免税事業者であった期間に行った課税仕入れについて返還等を受けた場合であっても、仕入れに係る対価の返還等に係る消費税額の控除の特例の規定は適用されません。

⑶ 仕入れに係る対価の返還等に係る消費税額の控除の特例の適用時期は、仕入れに係る対価の返還等をした日の属する課税期間です。

　そのため、当課税期間に返還等されていれば、前課税期間以前の仕入れに係るものであっても、当課税期間において仕入れに係る対価の返還等に係る消費税額の控除の特例の規定が適用されます。

⑷ 保税地域からの引取りに係る課税貨物について、その課税貨物の購入先からその課税貨物の購入に係る割戻しを受けた場合のその割戻しは、仕入れに係る対価の返還等に該当しません。

仕入れに係る対価の返還等　　　　　1,371,200　円

解 説

⑴　事業者が間接的な取引先から受けるリベートである飛越リベートは、通常、仕入れに係る対価の返還等に該当します。

　　ただし、国外の取引先E社から支払いを受けたリベートは、税関から消費税の還付を受けていないため、仕入れに係る対価の返還等に該当しません。

⑵　国内の部品製造委託業者からの仕入れに係るものは、仕入れに係る対価の返還等に該当します。

⑶　共同組合等から事業者が収受する事業分量配当金のうち、課税仕入れの分量に応じた部分の金額は、仕入れに係る対価の返還等に該当しますが、本問のように実質が販売代行による手数料であるものは、課税売上げに該当し、仕入れに係る対価の返還等に該当しません。

解答 | 問題5　仕入れに係る対価の返還等の理論

> 仕入れに係る対価の返還等とは、事業者が国内において行った課税仕入れにつき、返品、値引き、割戻しによる課税仕入れに係る支払対価の額の全部若しくは一部の返還又はその課税仕入れに係る支払対価の額に係る買掛金等の全部若しくは一部の減額をいう。

解 説

　理論集の「返品、値引き、割戻しによる課税仕入れに係る支払対価の額の全部若しくは一部の返還又はその課税仕入れに係る支払対価の額に係る買掛金等の全部若しくは一部の減額をいう。」の部分を中心に文章を構成します。

解答	問題6　仕入れに係る対価の返還等(5)

問1

> (1) 課税売上割合　　　　　　　　　　　　　　　　　　　　（単位：円）
>
> 　　95% ≧ 95%
>
> 　　30,000,000 ≦ 500,000,000
>
> 　　∴　按分計算は不要
>
> (2) 控除対象仕入税額
>
> 　① 課税仕入れ
>
> 　　16,800,000＋315,000＋1,050,000＝18,165,000
>
> 　　$18,165,000 \times \dfrac{7.8}{110} = 1,288,063$
>
> 　② 課税貨物
>
> 　　232,000
>
> 　③ 仕入返還等
>
> 　　$630,000 \times \dfrac{7.8}{110} = 44,672$
>
> 　④ 引取還付
>
> 　　12,200
>
> 　⑤ 控除対象仕入税額
>
> 　　①＋②－③－④＝1,463,191

問2

> (1) 課税売上割合　　　　　　　　　　　　　　　　　　　　（単位：円）
>
> 　　80% ＜ 95%
>
> 　　∴　按分計算が必要
>
> (2) 控除対象仕入税額
>
> 　① 区分経理及び税額
>
> 　イ　個別対応方式
>
> 　　(a) 課税資産の譲渡等にのみ要するもの
>
> 　　　㋑ 課税仕入れ
>
> 　　　　$16,800,000 \times \dfrac{7.8}{110} = 1,191,272$
>
> 　　　㋺ 課税貨物
>
> 　　　　232,000

ハ 仕入返還等

$$630,000 \times \frac{7.8}{110} = 44,672$$

ニ 引取還付

12,200

ホ イ＋ロ－ハ－ニ＝1,366,400

(b) その他の資産の譲渡等にのみ要するもの

$$315,000 \times \frac{7.8}{110} = 22,336$$

(c) 共通して要するもの

$$1,050,000 \times \frac{7.8}{110} = 74,454$$

(d) 控除対象仕入税額

1,366,400＋74,454×80％＝1,425,963

ロ 一括比例配分方式

(a) 課税仕入れ

16,800,000＋315,000＋1,050,000＝18,165,000

$$18,165,000 \times \frac{7.8}{110} = 1,288,063$$

(b) 課税貨物　232,000

(c) 仕入返還等　44,672

(d) 引取還付　12,200

(e) 控除対象仕入税額

（1,288,063＋232,000）×80％－44,672×80％－12,200×80％＝1,170,553

② 有利判定

①イ ＞ ①ロ　∴ 1,425,963

解　説

1　保税地域から課税貨物を引き取った場合には、保税地域からの引取りの際に税関に納付した消費税額（国税部分）が、仕入税額控除の対象となります。

　　ここで、課税貨物の引取価額や保税地域からの引取りの際に税関に納付した地方消費税額は仕入税額控除の対象にならない点に注意しましょう。

2　保税地域から引き取った課税貨物に係る消費税について還付を受けた場合には、還付を受けた日の属する課税期間の課税仕入れ等の税額の合計額から控除します。

ここで、課税仕入れ等の税額の合計額から控除するのは、税関から還付を受けた消費税の額のうち国税部分です。そのため、保税地域からの引取りに係る地方消費税の還付税額は対象となりません。

3　課税貨物に係る消費税額の還付額の計算は、以下のとおりです。

⑴　課税売上割合が95％以上、かつ、課税売上高が500,000,000円以下の場合

　　その課税期間の課税売上割合が95％以上、かつ、課税売上高が500,000,000円以下の場合は、課税仕入れ等の税額を全額控除できるため、課税貨物に係る消費税額の還付額も全額控除します。

$$\text{課税仕入れ等の税額の合計額} - \text{課税貨物に係る消費税額の還付} = \text{控除対象仕入税額}$$

⑵　上記以外の場合

　　以下の算式に基づき、それぞれの控除対象仕入税額を計算し、金額の大きい方を選択します。

①　個別対応方式の場合

$$\text{課税資産の譲渡等にのみ要する課税仕入れ等の税額の合計額} - \text{課税資産の譲渡等にのみ要する課税貨物に係る消費税額の還付額} = Ⓐ$$

$$\text{共通して要する課税仕入れ等の税額の合計額} \times \text{課税売上割合} - \text{共通して要する課税貨物に係る消費税額の還付額} \times \text{課税売上割合} = Ⓑ$$

$$Ⓐ \quad + \quad Ⓑ \quad = \text{控除対象仕入税額}$$

②　一括比例配分方式の場合

$$\text{課税仕入れ等の税額の合計額} \times \text{課税売上割合} - \text{課税貨物に係る消費税額の還付額} \times \text{課税売上割合} = \text{控除対象仕入税額}$$

解答 | 問題7　仕入れに係る対価の返還等(6)

Ⅰ　課税標準額に対する消費税額の計算

〔課税標準額〕

計　算　過　程		（単位：円）
売上高　　30,450,000 $30,450,000 \times \dfrac{100}{110} = 27,681,818 \rightarrow 27,681,000$　（千円未満切捨）		
	金 額	円 27,681,000

〔課税標準額に対する消費税額〕

計　算　過　程	（単位：円）	金 額	円
$27,681,000 \times 7.8\% = 2,159,118$			2,159,118

Ⅱ　仕入れに係る消費税額の計算等

〔課税売上割合〕

計　算　過　程		（単位：円）
(1)　課税売上高 　①　27,681,818 　②　$2,100,000 \times \dfrac{100}{110} = 1,909,090$ 　③　①－②＝25,772,728 (2)　非課税売上高 　受取利息 50,000＋株式売却 3,000,000×5％＋土地売却 2,800,000＝3,000,000 (3)　課税売上割合 　$\dfrac{(1)}{(1)+(2)} = \dfrac{25,772,728}{28,772,728} = 0.8957\cdots \ < \ 95\%$ 　∴　按分計算が必要		
	課 税 売 上 割 合	25,772,728　　円 ――――――――― 28,772,728　　円

〔控除対象仕入税額〕

計　算　過　程	（単位：円）

(1) 区分経理及び税額

① 個別対応方式

イ　課税資産の譲渡等にのみ要するもの

(a) 課税仕入れ

商品仕入 13,240,000＋荷造運搬 670,000＋その他 840,000＝14,750,000

$14,750,000 \times \frac{7.8}{110} = 1,045,909$

(b) 課税貨物　279,300

(c) 仕入返還等

値引戻し 250,000＋割戻し 175,000＋割引 300,000＝725,000

$725,000 \times \frac{7.8}{110} = 51,409$

(d) 引取還付　17,100

(e) (a)＋(b)－(c)－(d)＝1,256,700

ロ　その他の資産の譲渡等にのみ要するもの

売却手数料 52,500＋126,000＝178,500

$178,500 \times \frac{7.8}{110} = 12,657$

ハ　共通して要するもの

通勤手当 75,000＋その他 1,460,000＝1,535,000

$1,535,000 \times \frac{7.8}{110} = 108,845$

ニ　控除対象仕入税額

$1,256,700 + 108,845 \times \frac{25,772,728}{28,772,728} = 1,354,196$

② 一括比例配分方式

イ　課税仕入れ

14,750,000＋178,500＋1,535,000＝16,463,500

$16,463,500 \times \frac{7.8}{110} = 1,167,411$

〔控除対象仕入税額〕（続き）

計　算　過　程 （単位：円）	
ロ　課税貨物　279,300	
ハ　仕入返還等　51,409	
ニ　引取還付　17,100	
ホ　控除対象仕入税額	
$(1,167,411+279,300) \times \dfrac{25,772,728}{28,772,728} - 51,409 \times \dfrac{25,772,728}{28,772,728} - 17,100 \times \dfrac{25,772,728}{28,772,728}$	
$=1,234,504$	

	金額	円
(2)　有利判定		
(1)① ＞ (1)② ∴ 1,354,196		1,354,196

〔売上げの返還等対価に係る税額〕

計　算　過　程 （単位：円）	金額	円
$2,100,000 \times \dfrac{7.8}{110} = 148,909$		148,909

〔控除税額小計〕

計　算　過　程 （単位：円）	金額	円
$1,354,196+148,909=1,503,105$		1,503,105

Ⅲ　差引税額の計算

〔差引税額〕

計　算　過　程 （単位：円）	金額	円
$2,159,118-1,503,105=656,013 \rightarrow 656,000$ （百円未満切捨）		656,000

Ⅳ　納付税額の計算

〔納付税額〕

計　算　過　程 （単位：円）	金額	円
656,000		656,000

解　説

1　課税売上割合

　　控除対象仕入税額の計算は、課税売上割合が95％以上か否かで、按分計算の有無の判定を行います。なお、ここで課税売上割合が95％以上となった場合は、課税売上高が5億円以下か否かでさらに判定を行います。

　　非課税売上高を求めるにあたって、株式については譲渡対価3,000,000円の5％である150,000円を非課税売上高に含める点に注意しましょう。

2　個別対応方式

⑴　課税資産の譲渡等にのみ要するもの

①　課税仕入れ

　　荷造運搬費670,000円は、課税商品に係るものであるため、課税資産の譲渡等にのみ要する課税仕入れに該当します。

②　課税貨物

　　課税貨物の引取りを行った場合に、仕入税額控除の対象に含まれるのは、保税地域から引き取った課税貨物に係る消費税額279,300円のみです。地方消費税額は含まれません。

③　仕入返還等

イ　輸入品について、輸入先に対する返品額自体は、税関からの還付税額ではないため課税貨物の還付税額に含めず、仕入返還等の対象にもなりません。

ロ　仕入割戻し175,000円は、事業者が間接的な取引先からリベートを受ける飛越リベートに該当します。飛越リベートも仕入返還等に該当する点に注意しましょう。

ハ　仕入割引も仕入返還等の範囲に含まれます。

④　引取還付

　　引取還付の対象となるのは、税関から還付された税額のうち国税部分です。そのため、保税地域からの引取りに係る消費税額17,100円の還付税額が引取還付となります。課税貨物同様、地方消費税は含まれません。

⑵　その他の資産の譲渡等にのみ要するもの

　　有価証券と土地の売却に係る手数料は、その他の資産の譲渡等にのみ要する課税仕入れに該当します。

⑶　共通して要するもの

　　従業員の通勤手当のうち、通常必要と認められるものは課税仕入れに該当します。なお、住宅手当は給与の補填として支給されるものであり、給与の一部を構成するため課税仕入れとなりません。

　　また、通勤手当は、どの売上げに対応するものか不明のため、共通して要するものに区分します。

⑷　控除対象仕入税額

　　共通して要するものに課税売上割合を乗ずることに注意しましょう。また、その他の資産の譲渡等にのみ要する課税仕入れの税額は計算に算入しないことにも注意しましょう。

3 一括比例配分方式

　一括比例配分方式で使用する課税仕入れ等の税額の合計額は、個別対応方式で求めたの各区分ごとの税額をそのまま合計して使用するのではなく、個別対応方式で求めた課税仕入れの金額を合計して、その合計額に110分の7.8を乗じて税額を計算します。仕入返還等についても同様です（本問では、仕入返還等が課税資産の譲渡等にのみ要する区分でしか生じていないため、課税資産の譲渡等にのみ要する区分で計算した金額を使用しています。）。

　また、控除対象仕入税額の計算では仕入返還等の税額や引取りの還付税額に対しても課税売上割合を乗じます。このときに仕入返還等の税額と引取りの還付税額のそれぞれに課税売上割合を乗じます。

4 有利判定

　最終的に納付する税金が少なくなる方法を選択することが納税者にとっては有利となります。そのため、より税額が多く控除できる方法を選択すべきなので、個別対応方式と一括比例配分方式のうち金額の大きい方を選択します。

Chapter11 資産の譲渡等の時期

解答	問題1　資産の譲渡等の時期(1)

	売上げに計上すべき日	売上げ計上金額
(1)	令和7年4月10日	660,000 円
(2)	令和7年4月10日	5,500,000 円
(3)	令和7年3月31日	220,000 円
(4)	令和7年5月31日	197,260 円
(5)	令和7年5月20日	60,000 円

解説

(1)　継続して検収基準を採用しているときは、検収済の通知を受けた日に売上げを計上する。

(2)　受託者が週、旬、月を単位として一括して売上計算書を作成しているときは、「売上げの都度作成されている場合」に該当する。

(3)　資産の賃貸借契約に基づいて支払いを受ける使用料等の額を対価とする資産の譲渡等の時期は、その契約又は慣習によりその支払いを受けるべき日とする。

(4)　金融業者のその貸付金から生ずる利子の額は、その利子の計算期間の経過に応じその課税期間に係る金額をその課税期間の資産の譲渡等の対価の額とする。

(5)　金融及び保険業を営む事業者以外の事業者が、その有する貸付金等から生じずる利子で、その支払期日が1年以内の一定の期間ごとに到来するものの額につき、継続してその支払期日の属する課税期間の資産の譲渡等の対価の額としている場合には、支払期日に計上することを認める。

解答	問題2　資産の譲渡等の時期(2)

課税売上げの金額　| 101,000 |　円

解説　　（単位：円）

課税売上げの金額：11,000＋90,000＝101,000

(1)　棚卸資産の譲渡の時期は、その引渡しのあった日（引渡基準）となります。前受金（手付金）を受け取った日ではないことに注意してください。

(2)(3)　棚卸資産の譲渡の時期は、引渡基準により、代金の回収日ではないことに注意しましょう。

(4)　土地の売却は、非課税取引に該当します。

(5)　固定資産の譲渡の時期も、引渡基準によります。

解答	問題3　資産の譲渡等の時期(3)

課税売上げの金額　| 7,810,000 | 円

解　説	（単位：円）

課税売上げの金額：101 号室 3,200,000＋201 号室 3,100,000＋302 号室 1,320,000

　　　　　　　　　＋月極駐車場 150,000＋保証金（302 号室）40,000＝7,810,00

(1)　不動産賃貸料収入

　①　住宅の貸付け（居住用）は非課税取引に該当し、居住用以外の店舗及び事務所としての貸付けは課税取引に該当します。

　②　住宅の貸付けに該当するか否かの判定は、賃貸借契約書に記載されている用途が居住用かどうかによって行います。（Chapter 3　Section 2 参照。）そのため、その実態が社宅であっても、契約上事務所用であることが明記されていれば、課税取引に該当します。

　　　なお、建物を所有する会社が、その会社の社員に社宅として貸し付ける場合は、居住用として住宅の貸付けに該当します。また、賃借人が社宅等としてその社員に転貸する場合にも、住宅の貸付けに該当します。

(2)　当社がアスファルト舗装、区画整理等を行い、土地を駐車場として貸し付ける場合、施設の利用に伴う土地の貸付けに該当し、課税取引となります。（Chapter 3　Section 2 参照。）

(3)　保証金

　　資産の賃貸借契約等に基づいて、保証金、敷金として受け取った金額のうち、返還を要しないこととなった部分の金額は、返還を要しないこととなった日を資産の譲渡等の時期とします。ただし、301 号室の居住用の賃貸に係る返還不要の保証金は、非課税取引となります。

Chapter12　確定申告Ⅱ

解答	問題1　確定申告の概要

① （　　　　　　2月以内　　　　　　）　② （　　　　　　差引税額　　　　　　）

③ （　　資産の譲渡等の対価の額　　）　④ （　　課税仕入れ等の税額　　）

⑤ （　　　　　課税標準額　　　　　）　⑥ （課税標準額に対する消費税額）

⑦ （　　　控除不足還付税額　　　）　⑧ （　　　　　納付税額　　　　　）

⑨ （　　　申告書の提出期限　　　）

解　説

1　課税資産の譲渡等についての確定申告

⑴　内容

事業者（免税事業者を除く。）は、課税期間ごとに、その課税期間の末日の翌日から（①**2月以内**）に、一定の事項を記載した申告書を税務署長に提出しなければならない。

ただし、国内における課税資産の譲渡等（特定資産の譲渡等に該当するもの及び輸出免税取引等を除く。）がなく、かつ、（②**差引税額**）がない課税期間については、この限りではない。

⑵　添付書類

確定申告書には、その課税期間中の（③**資産の譲渡等の対価の額**）及び（④**課税仕入れ等の税額**）の明細その他の事項を記載した書類を添付しなければならない。

⑶　確定申告書の記載事項

①　（⑤**課税標準額**）

②　税率の異なるごとに区分した（⑥**課税標準額に対する消費税額**）

③　②から控除されるべき次の消費税額の合計額

イ　仕入れに係る消費税額

ロ　売上げに係る対価の返還等の金額に係る消費税額

ハ　特定課税仕入れに係る対価の返還等を受けた金額に係る消費税額

ニ　貸倒れに係る消費税額

④　（②**差引税額**）

⑤　（⑦**控除不足還付税額**）

⑥　（⑧**納付税額**）

⑦　中間納付還付税額

⑧　上記金額の計算の基礎その他一定の事項

2　納付

　　確定申告書を提出した者は、（⑦差引税額）（又は、（⑧納付税額））があるときは、その（⑨申告書の提出期限）までに、その消費税額を国に納付しなければならない。

| 解答 | 問題2　個人事業者の申告期限の特例 |

① （　　翌年3月31日　　）　② （　　　　相続人　　　　）　③ （　　　相続の開始　　　）
④ （　　　　4　　　　）

解　説

⑴　個人事業者の特例

　　個人事業者のその年の12月31日の属する課税期間に係る確定申告書の提出期限は、その年の（①翌年3月31日）とする。

⑵　確定申告書の提出期限までに死亡した場合

　　確定申告書を提出すべき個人事業者がその課税期間の末日の翌日からその申告書の提出期限までの間にその申告書を提出しないで死亡した場合には、その（②相続人）は、その（③相続の開始）があったことを知った日の翌日から（④4）月以内に、税務署長にその申告書を提出しなければならない。

⑶　課税期間の中途で死亡した場合

　　個人事業者が課税期間の中途において死亡した場合において、その者のその課税期間分の消費税について確定申告書を提出しなければならないときは、その（②相続人）は、その（③相続の開始）があったことを知った日の翌日から（④4）月以内に、税務署長にその申告書を提出しなければならない。

| 解答 | 問題3　清算中の法人の申告期限の特例 |

① （　残余財産の確定の日　）　② （　　　　1　　　　）　③ （　　　前日　　　）

解　説

清算中の法人につきその残余財産が確定した場合には、（①**残余財産の確定の日**）の属する課税期間の末日の翌日から（②１）月以内に、税務署長にその申告書を提出しなければならない。

ただし、その課税期間の末日の翌日から（②１）月以内に残余財産の最後の分配等が行われる場合には、その行われる日の（③**前日**）までに提出しなければならない。

解答　問題4　法人の確定申告書の提出期限の特例

①　（　各事業年度終了の日　）　②　（　　3月以内　　）

解　説

消費税申告書を提出すべき法人（法人税法の確定申告書の提出期限の延長の特例の規定の適用を受ける法人に限る。）が、消費税申告書の提出期限を延長する旨を記載した届出書をその納税地の所轄税務署長に提出した場合には、その提出をした日の属する事業年度以後の（①**各事業年度終了の日**）の属する課税期間に係る消費税申告書の提出期限については、その課税期間の末日の翌日から（②**3月以内**）とする。

解答　問題5　確定申告の理論

問1

相続人Hは、令和7年9月15日までに税務署長に確定申告書を提出しなければならない。

問2

A社は、令和8年4月30日までに税務署長に確定申告書を提出しなければならない

解　説

問1

個人事業者Gの死亡の日の属する年の消費税については、課税標準額に対する消費税額があることから、国内における課税資産の譲渡等（特定資産の譲渡等及び輸出免税取引等を除く。）があることがわかり、かつ、差引税額が生じていることから確定申告の義務が生じていることがわか

ります。

　この場合において、死亡した者に係る納税に関する義務は、法59条の規定により、相続人Hに承継されます。これにより、相続人Hは、個人事業者Gの死亡した年に係る確定申告書を提出しなければなりません。

　なお、相続人Hが相続の開始があったことを知った日が令和7年5月15日であるため、その翌日から4月以内である令和7年9月15日が確定申告書の提出期限となります。

問2

　清算中の法人の残余財産が確定した場合の確定申告書の提出期限は、通常の提出期限が課税期間の末日の翌日から2ヵ月以内であるところ、1ヵ月以内に短縮されます。

　なお、確定申告に係る提出期限の特例は以下のとおりです。

個人事業者が死亡した場合	課税期間終了後から申告期限までに死亡した場合	相続の開始があったことを知った日の翌日から4ヵ月以内
	課税期間の中途に死亡した場合	
清算中の法人の残余財産が確定した場合		課税期間の末日の翌日から1ヵ月以内（その期間内に残余財産の最後の分配が行われる場合には、その行われる日の前日）

Chapter13 還付を受けるための申告

解答	問題1	還付を受けるための申告(1)

① （　　　　　免税事業者　　　　　）　② （　　　控除不足還付税額　　　）

③ （　　中間納付還付税額　　）　④ （ 確定申告書を提出すべき義務 ）

⑤ （　　　　税務署長　　　　）　⑥ （　資産の譲渡等の対価の額　）

⑦ （　　課税仕入れ等の税額　　）

解　説

(1) 内容

　　事業者（（①**免税事業者**）を除く。）は、その課税期間分の消費税につき（②**控除不足還付税額**）又は（③**中間納付還付税額**）がある場合には、（④**確定申告書を提出すべき義務**）がない場合においても、これらの税額の還付を受けるため、一定の事項を記載した申告書を（⑤**税務署長**）に提出することができる。

(2) 添付書類

　　還付を受けるための申告書には、その課税期間中の（⑥**資産の譲渡等の対価の額**）及び（⑦**課税仕入れ等の税額**）の明細その他の事項を記載した書類を添付しなければならない。

解答	問題2	還付を受けるための申告(2)

(1)	課税事業者のうち、国内における課税資産の譲渡等（特定資産の譲渡等に該当するもの及び輸出免税取引等を除く。）がなく、かつ、差引税額がない者
(2)	課税事業者の選択（消費税課税事業者選択届出書の提出）

解　説

(1) 還付を受けるための申告書の提出ができるのは、確定申告義務がない課税事業者です。確定申告義務がない課税事業者とは、課税事業者のうち、国内における課税資産の譲渡等（特定資産の譲渡等に該当するもの及び輸出免税取引等を除く。）がなく、かつ差引税額がない者をいいます。

(2) 申告手続のできない免税事業者は、事前に「課税事業者の選択」により、課税事業者となることで、申告手続をすることが可能となるため、申告書の提出により控除不足額の還付を受けることができます。

(1)　確定申告書

(2)　確定申告書

(3)　確定申告書

(4)　還付を受けるための申告書

解　説

　確定申告義務の適用除外は、①課税資産の譲渡等（特定資産の譲渡等に該当するもの及び輸出免税取引等を除く。）がない（課税標準額に対する消費税額が０円）、②差引税額がない（控除不足還付税額が発生している）のいずれも満たす場合です。したがって、①又は②のいずれかに該当するときは、還付となる場合でも確定申告義務があることに注意しましょう。

(1)　課税標準額に対する消費税額　　　　　　　　　　０円

　　控除過大調整税額　　　　　　　　　　　　　180,000 円

　　控除税額小計　　　　　　　　　　　　　　　150,000 円

　　差引税額　　　　　　　　　　　　　　　　　30,000 円 →確定申告書の提出

　　納付税額　　　　　　　　　　　　　　　　　30,000 円

(2)　課税標準額に対する消費税額　　　　　　　200,000 円 →確定申告書の提出

　　控除過大調整税額　　　　　　　　　　　　　　　０円

　　控除税額小計　　　　　　　　　　　　　　　250,000 円

　　差引税額　　　　　　　　　　　　　　　　　　　０円

　　控除不足還付税額　　　　　　　　　　　　　50,000 円

(3)　課税標準額に対する消費税額　　　　　　　300,000 円

　　控除過大調整税額　　　　　　　　　　　　　　　０円

　　控除税額小計　　　　　　　　　　　　　　　220,000 円

　　差引税額　　　　　　　　　　　　　　　　　80,000 円 →確定申告書の提出

　　納付税額　　　　　　　　　　　　　　　　　80,000 円

(4)　課税標準額に対する消費税額　　　　　　　　　　０円

　　控除過大調整税額　　　　　　　　　　　　　　　０円

　　控除税額小計　　　　　　　　　　　　　　　500,000 円

　　差引税額　　　　　　　　　　　　　　　　　　　０円

　　控除不足還付税額　　　　　　　　　　　　　500,000 円 →還付を受けるための申告書の提出

Chapter14　中間申告Ⅱ

Ch 1
Ch 2
Ch 3
Ch 4
Ch 5
Ch 6
Ch 7
Ch 8
Ch 9
Ch 10
Ch 11
Ch 12
Ch 13
Ch 14
Ch 15
Ch 16

解答	問題1　中間納付税額の計算（原則）

(A)　50,000,000 円の場合　　　　　　　　　　　　　　　　　　　　　　（単位：円）

　(1)　1月中間申告

　　　$\dfrac{50,000,000}{12}$ ＝4,166,666 ＞ 4,000,000　　∴　適用あり

　(2)　中間納付税額の合計額

　　　4,166,600（百円未満切捨）×11＝45,832,600

(B)　4,600,000 円の場合　　　　　　　　　　　　　　　　　　　　　　（単位：円）

　(1)　1月中間申告

　　　$\dfrac{4,600,000}{12}$ ＝383,333 ≦ 4,000,000　　∴　適用なし

　(2)　3月中間申告

　　　$\dfrac{4,600,000}{12}$ × 3 ＝1,149,999 ＞ 1,000,000　　∴　適用あり

　(3)　中間納付税額の合計額

　　　1,149,900（百円未満切捨）× 3 ＝3,449,700

(C)　620,000 円の場合　　　　　　　　　　　　　　　　　　　　　　（単位：円）

　(1)　1月中間申告

　　　$\dfrac{620,000}{12}$ ＝51,666 ≦ 4,000,000　　∴　適用なし

　(2)　3月中間申告

　　　$\dfrac{620,000}{12}$ × 3 ＝154,998 ≦ 1,000,000　　∴　適用なし

　(3)　6月中間申告

　　　$\dfrac{620,000}{12}$ × 6 ＝309,996 ＞ 240,000　　∴　適用あり

　(4)　中間納付税額

　　　309,900（百円未満切捨）

1　中間納付税額の計算（原則）

⑴　1月中間申告

$$\frac{\text{直前の課税期間の確定消費税額}}{\text{直前の課税期間の月数}}=\text{A}$$

A ＞ 400万円　　∴　適用あり

A ≦ 400万円　　∴　適用なし

⑵　3月中間申告

$$\frac{\text{直前の課税期間の確定消費税額}}{\text{直前の課税期間の月数}}\text{（円未満切捨）}\times3=\text{B}$$

B ＞ 100万円　　∴　適用あり

B ≦ 100万円　　∴　適用なし

⑶　6月中間申告

$$\frac{\text{直前の課税期間の確定消費税額}}{\text{直前の課税期間の月数}}\text{（円未満切捨）}\times6=\text{C}$$

C ＞ 24万円　　∴　適用あり

C ≦ 24万円　　∴　適用なし

解答	問題2　中間納付税額の計算（特例）

⑴　1月中間申告　　　　　　　　　　　　　　　　　　　　　（単位：円）

$$\frac{4,720,000}{12}=393,333 ≦ 4,000,000　　∴　適用なし$$

⑵　3月中間申告

$$\frac{4,720,000}{12} \times 3=1,179,999 ＞ 1,000,000　　∴　適用あり$$

⑶　中間納付税額

①　4月〜6月

イ　1,179,900（百円未満切捨）

ロ　5,250,000－4,000,000＝1,250,000（百円未満切捨）

ハ　イ ＜ ロ　　∴　1,179,900

② 7月～9月

イ 1,179,900（百円未満切捨）

ロ 5,000,000－3,950,000＝1,050,000（百円未満切捨）

ハ イ＞ロ ∴ 1,050,000

③ 10月～12月

イ 1,179,900（百円未満切捨）

ロ 5,100,000－4,100,000＝1,000,000（百円未満切捨）

ハ イ＞ロ ∴ 1,000,000

④ 合計

1,179,900＋1,050,000＋1,000,000＝3,229,900

解 説

中間納付税額の計算方法には、直前の課税期間の確定消費税額を基礎とする場合（原則）と、仮決算に基づく場合（特例）があります。

仮決算に基づく場合には、中間申告対象期間を一課税期間とみなして仮決算を行い、計算された実額を中間納付税額とすることができます。

なお、事業者は中間申告対象期間ごとに原則と特例のいずれかを選択適用して、中間納付税額を計算することができます。ただし、中間申告の適用の判定は、必ず前課税期間の確定消費税額に基づいて行うことに注意してください。

解答 | 問題3 確定消費税額に変更がある場合

(1) 1月中間申告　（単位：円）

① 4月、5月、6月

$\dfrac{3,895,200}{12}$＝324,600 ≦ 4,000,000 ∴ 適用なし

② 7月、8月、9月

$\dfrac{3,895,200＋246,000}{12}$＝345,100 ≦ 4,000,000 ∴ 適用なし

③ 10月、11月、12月、1月、2月

$\dfrac{3,895,200＋246,000＋84,000}{12}$＝352,100 ≦ 4,000,000 ∴ 適用なし

(2) 3月中間申告

① 4月～6月

$$\frac{3,895,200}{12} \times 3 = 973,800 \leqq 1,000,000 \quad \therefore \quad 適用なし$$

② 7月～9月

$$\frac{3,895,200+246,000}{12} \times 3 = 1,035,300 > 1,000,000 \quad \therefore \quad 適用あり$$

③ 10月～12月

$$\frac{3,895,200+246,000+84,000}{12} \times 3 = 1,056,300 > 1,000,000 \quad \therefore \quad 適用あり$$

(3) 中間納付税額の合計額

1,035,300（百円未満切捨）＋1,056,300（百円未満切捨）＝2,091,600

解 説　（単位：円）

	4月	5月	6月	7月	8月	9月	10月	11月	12月	1月	2月	3月
1月中間申告	×	×	×	×	×	×	×	×	×	×	×	
3月中間申告		×			○			○				
6月中間申告	3月中間申告をしているため適用なし											

7/10 提出 ↓（7月の上）　10/16 提出 ↓（10月の上）

7月10日及び10月16日に修正申告により税額が変更されているため、各中間申告対象期間の判定に用いる税額は、それぞれの修正が行われた日の属する中間申告対象期間から変更されます。

具体的には、以下のようになります。

(1) 1月中間申告対象期間

① 4月、5月、6月　当初申告税額　3,895,200

② 7月、8月、9月　第1回目修正申告額（増加税額を加算）

3,895,200＋246,000＝4,141,200

③ 10月、11月、12月、1月、2月　第2回目修正申告額（増加税額を加算）

3,895,200＋246,000＋84,000＝4,225,200

(2) 3月中間申告対象期間

① 4月～6月　当初申告税額　3,895,200

② 7月～9月　第1回目修正申告額（増加税額を加算）

3,895,200＋246,000＝4,141,200

③　10月～12月　　第2回目修正申告額（増加税額を加算）

$$3,895,200＋246,000＋84,000＝4,225,200$$

⑶　6月中間申告対象期間

　第1回目修正申告額（増加税額を加算）

　　$3,895,200＋246,000＝4,141,200$

なお、6月中間申告対象期間については、3月中間申告の対象となる期間（7月～9月）を含むため、適用除外となります。

| 解答 | 問題4　中間納付税額の計算(1) |

⑴　1月中間申告　　　　　　　　　　　　　　　　　　　　　　（単位：円）

$$\frac{1,000,000}{3}＝333,333 \leqq 4,000,000 \quad \therefore \quad 適用なし$$

⑵　3月中間申告

$$\frac{1,000,000}{3}×3＝999,999 \leqq 1,000,000 \quad \therefore \quad 適用なし$$

⑶　6月中間申告

$$\frac{1,000,000}{3}×6＝1,999,998 ＞ 240,000 \quad \therefore \quad 適用あり$$

⑷　中間納付税額

　1,999,900（百円未満切捨）

解　説

　直前の課税期間の月数は通常12ヵ月ですが、本問では事業年度を変更し3ヵ月となっているため、分母には3を用います。

　なお、直前の課税期間の確定消費税額を直前の課税期間の月数で除した後、円未満の端数を切捨て3（又は6）を乗じることに注意しましょう。

　また、6月中間申告の場合において、前課税期間は3ヵ月しかありませんが、当課税期間は12ヵ月あるため、適用除外に該当しません。

解答	問題5　中間納付税額の計算(2)

(1)　1月中間申告　　　　　　　　　　　　　　　　　　　　　　　（単位：円）

$\dfrac{1,794,000}{4}=448,500 \leqq 4,000,000$　　∴　適用なし

(2)　3月中間申告

$\dfrac{1,794,000}{4} \times 3=1,345,500 > 1,000,000$　　∴　適用あり

(3)　中間納付税額の合計額

1,345,500（百円未満切捨）×3＝4,036,500

解　説

前課税期間が4月1日～7月31日までの4ヵ月である点に注意して計算してください。

解答	問題6　中間申告の理論(1)

①	（	免税事業者	）	②	（	2月	）
③	（	確定消費税額	）	④	（	直前の課税期間の月数	）
⑤	（	100	）	⑥	（	短縮	）
⑦	（	3月	）	⑧	（	設立の日	）

解　説

(1)　3月中間申告

①　内容

　　事業者（（①**免税事業者**）を除く。）は、3月中間申告対象期間の末日の翌日から（②**2月**）以内に、一定の事項を記載した申告書を税務署長に提出しなければならない。

②　適用除外

　　①の規定は、次のいずれかに該当する場合には適用しない。

イ　その課税期間の直前の課税期間の確定申告書に記載すべき（③**確定消費税額**）で3月中間申告対象期間の末日までに確定したものをその（④**直前の課税期間の月数**）で除し、これに3を乗じて計算した金額が（⑤**100**）万円以下である場合

ロ　課税期間を（⑥**短縮**）している場合

ハ　次のいずれかの課税期間に該当する場合

(イ)　個人事業者の事業を開始した日の属する課税期間

(ロ)　法人の（⑦**3月**）を超えない課税期間

(ハ)　法人（合併により設立されるものを除く。）の（⑧**設立の日**）の属する課税期間

ニ　1月中間申告の適用を受ける期間を含む期間である場合

③　3月中間申告対象期間

その課税期間開始の日以後3月ごとに区分した各期間（最後の期間を除く。）をいう。

解答	問題7　中間申告の理論⑵

①	（ できる ）	②	（ 書類 ）
③	（ 中間申告書を提出すべき事業者 ）	④	（ 提出期限 ）
⑤	（ 申告書の提出 ）	⑥	（ 申告書の提出期限 ）
⑦	（ 国 ）		

解　説

1　特例

⑴　内容

　　中間申告書を提出すべき事業者が、中間申告対象期間を一課税期間とみなして、その期間に係る課税標準額その他一定の事項を計算した場合には、その提出する中間申告書に、原則の記載事項に代えて、これらを記載することが（①**できる**）。

⑵　添付書類

　　⑴の中間申告書には、その中間申告対象期間中の資産の譲渡等の対価の額及び課税仕入れ等の税額の明細その他の事項を記載した（②**書類**）を添付しなければならない。

2　中間申告書の提出がない場合の特例

　　（③**中間申告書を提出すべき事業者**）がその中間申告書をその提出期限までに提出しなかった場合には、その（④**提出期限**）において、税務署長に原則の税額計算の方法による（⑤**申告書の提出**）があったものとみなす。

3　納付

　　中間申告書を提出した者は、中間納付税額があるときは、その（⑥**申告書の提出期限**）までに、その消費税額を（⑦**国**）に納付しなければならない。

> 中間申告対象期間の実績による控除税額の合計額が課税標準額に対する消費税額を上回ることから、仮決算を行うと中間納付税額が生じないこととなるため、資金繰りを考慮した場合中間申告対象期間の末日の翌日から2月以内に特例（仮決算）による中間申告を行うべきである。

解　説

　消費税の中間申告は、原則として、前課税期間の確定消費税額をもとに計算されます。そのため、前課税期間の納付税額が当課税期間の実績に対し多額になる場合には、中間申告対象期間を一課税期間とし、通常の税額計算のとおりに課税標準額等を計算し、中間申告対象期間の実績による中間申告書を作成します。

　この場合の計算において、控除税額の合計額が課税標準額に対する消費税額を超える場合であっても、中間納付における仮納付という性質上、還付を受けることはできず、中間納付税額は0円となります。

消費税法基本通達15－1－5（仮決算において控除不足額（還付額）が生じた場合）

　事業者が法第43条第1項《仮決算をした場合の中間申告》の規定により仮決算をして中間申告書を提出する場合において、同項第2号《課税標準額に対する消費税額》に掲げる金額から同項第3号《控除されるべき消費税額》に掲げる金額を控除して控除不足額が生じるとしても、当該控除不足額につき還付を受けることはできないことに留意する。

（注）　控除不足額が生じた場合の中間納付額は、0円となる。

解答　問題9　中間申告の理論(4)

> 　Cは、前年の納税額が30万円であることから、任意の中間申告書を提出する旨の届出書を納税地の所轄税務署長に提出し任意の中間申告を選択しなければならない。
>
> 　また、半年分の売上げ、仕入れ等、取引金額に応じた納税を行うためには、中間申告対象期間を一課税期間とみなして仮決算を行う必要がある。

解　説

　Ｃの前課税期間の確定消費税額が地方消費税込みで30万円（≦ 48万円）となっていることから
Ｃは当課税期間において中間申告義務はない。したがって、Ｃが中間申告を行うためには「任意の
中間申告書を提出する旨の届出書」を提出し任意の中間申告を選択しなければならない。

　また、半年分の売上げ、仕入れ等取引金額に応じた納税を行う場合は、中間申告対象期間を一課
税期間とみなして仮決算を行う必要がある。

Chapter15　引取りに係る申告

解答	問題1　課税貨物に係る申告

①	（　　申告納税方式　　）	②	（　　税関長　　）	
③	（　　課税標準額　　）	④	（　　税率　　）	
⑤	（　課税標準額に対する消費税額　）	⑥	（　　特例申告　　）	
⑦	（　　翌月末日　　）	⑧	（　　賦課課税方式　　）	
⑨	（　　数量　　）			

解　説

(1) 申告納税方式

①　一般申告の場合

　　関税法に規定する（**①申告納税方式**）が適用される課税貨物を保税地域から引き取ろうとする者は、他の法律等により消費税を免除されるべき場合を除き、次の事項を記載した申告書を（**②税関長**）に提出しなければならない。

イ　課税貨物の品名並びに品名ごとの数量、（**③課税標準額**）及び（**④税率**）

ロ　（**⑤課税標準額に対する消費税額**）及びその消費税額の合計額

ハ　その他一定の事項

②　特例申告に係る申告期限の特例

　　課税貨物につき関税法に規定する（**⑥特例申告**）を行う場合には、その課税貨物に係る申告書の提出期限は、その課税貨物の引取りの日の属する月の（**⑦翌月末日**）とする。

(2) 賦課課税方式

　　関税法に規定する（**⑧賦課課税方式**）が適用される課税貨物を保税地域から引き取ろうとする者は、他の法律等により消費税を免除されるべき場合を除き、次の事項を記載した申告書を（**②税関長**）に提出しなければならない。

①　課税貨物の品名並びに品名ごとの（**⑨数量**）及び（**③課税標準額**）

②　その他一定の事項

解答	問題2　課税貨物に係る納付

①	（　課税貨物を保税地域から引き取る時　）	②	（　申告書の提出期限　）	
③	（　　引取り　　）	④	（　　徴収　　）	

解　説

(1)　申告納税方式

　　申告納税方式の申告書を提出した者は、その（①**課税貨物を保税地域から引き取る時**）（特例申告書を提出する場合には、その（②**申告書の提出期限**））までに、その申告書に記載した消費税額を国に納付しなければならない。

(2)　賦課課税方式

　　保税地域から引き取られる賦課課税方式が適用される課税貨物に係る消費税は、その保税地域の所在地の所轄税関長がその（③**引取り**）の際（④**徴収**）する。

解答　問題3　課税貨物に係る申告の理論

> Ｊ社は、一般申告により課税貨物を保税地域から引き取る都度、引き取った課税貨物に係る消費税の申告書を税関長に提出しているが、特例申告を行うことにより特定月における輸入申告に係る消費税の申告をまとめて、課税貨物の引取月の翌月末日とすることができる。

解　説

　申告納税方式が適用される課税貨物を保税地域から引き取る場合には、本来は、引き取りの都度、申告書を税関長に提出することになりますが、関税法に規定する特例申告を行うことにより、特定月における申告をまとめて引取りの月の翌月末日まで、その申告期限を延長することができます。

　なお、本問ではＪ社は申告納税方式による課税貨物の引取りを行っていますので、特例申告を採用することができます。賦課課税方式の課税貨物を引き取る場合には、特例申告は採用できません。

解答　問題4　課税貨物に係る特例申告

　　課税貨物に係る消費税額　　　2,000,000　円

課税貨物に係る消費税額の仕入税額控除の時期は、以下のようになります。

⑴　一般申告…課税貨物を引き取った日（輸入許可を受けた日）

⑵　特例申告…特例申告書を提出した日

したがって、税関に納付した消費税額2,000,000円については、当課税期間の4月中に特例申告書を提出しているので、当課税期間の仕入税額控除の対象となります。

解答	問題5　納期限の延長

課税貨物に係る消費税額　　17,236,600　円

解　説　（単位：円）

課税貨物に係る消費税額：11,548,500＋5,688,100＝17,236,600

申告納税方式が適用される課税貨物につき、申請書を税関長に提出し、かつ、担保を提供したときは3ヵ月以内に限り、納期限の延長が認められます。

この場合、実際の納付が行われていなくても税関長から輸入の許可を受けることとなるため、輸入の許可を受けた日の属する課税期間において仕入税額控除の対象となります。

したがって、納期限の延長を受けて未納付となっている消費税額は当課税期間において仕入税額控除の対象となります。

解答	問題6　納期限の延長の理論

①	（　申告納税方式　）	②	（　申請書　）	③	（　税関長　）
④	（　担保　）	⑤	（　3月以内　）	⑥	（　特定月　）
⑦	（　前月末日　）	⑧	（　累計額　）	⑨	（　特例申告書　）
⑩	（　2月以内　）	⑪	（　保全　）	⑫	（　命ずる　）

(1)　個別延長方式

　　（①**申告納税方式**）が適用される課税貨物を保税地域から引き取ろうとする者が、（①**申告納税方式**）に係る申告書を提出した場合において、その申告書に記載した消費税額の納期限に関し、延長を受けたい旨の（②**申請書**）を（③**税関長**）に提出し、かつ、（④**担保**）を提供したときは、その（③**税関長**）は、その消費税額が（④**担保**）の額を超えない範囲内において、その納期限を（⑤**3月以内**）に限り延長することができる。

(2)　包括延長方式

　　（①**申告納税方式**）が適用される課税貨物を保税地域から引き取ろうとする者が、（⑥**特定月**）において課されるべき消費税の納期限に関し（⑥**特定月**）の（⑦**前月末日**）までに延長を受けたい旨の（②**申請書**）を（③**税関長**）に提出し、かつ、（④**担保**）を提供したときは、その（③**税関長**）は、（⑥**特定月**）における消費税の（⑧**累計額**）がその（④**担保**）の額を超えない範囲内において、その納期限を（⑥**特定月**）の末日の翌日から（⑤**3月以内**）に限り延長することができる。

(3)　特例延長方式

　イ　特例輸入者

　　特例輸入者が、（⑨**特例申告書**）をその提出期限までに提出した場合において、（⑨**特例申告書**）に記載した消費税額の納期限に関し、その（⑨**特例申告書**）の提出期限までに延長を受けたい旨の（②**申請書**）を（③**税関長**）に提出したときは、その（③**税関長**）は、その消費税については、その納期限を（⑩**2月以内**）に限り延長することができる。この場合において、その（③**税関長**）は、消費税の（⑪**保全**）のために必要があると認めるときは、その特例輸入者に対し、その（⑨**特例申告書**）に記載した消費税額に相当する額の（④**担保**）の提供を（⑫**命ずる**）ことができる。

　ロ　特例委託輸入者

　　特例委託輸入者が、（⑨**特例申告書**）をその提出期限までに提出した場合において、その（⑨**特例申告書**）に記載した消費税額の納期限に関し、その（⑨**特例申告書**）の提出期限までに延長を受けたい旨の（②**申請書**）を（③**税関長**）に提出し、かつ、（④**担保**）を提供したときは、その（③**税関長**）は、その消費税額がその（④**担保**）の額を超えない範囲内において、その納期限を（⑩**2月以内**）に限り延長することができる。

Chapter16　更正の請求

解答	問題1　税額の確定と是正

① （　　　決定　　　）　② （　　　修正申告　　　）　③ （　　　更正の請求　　　）

④ （　　　更正　　　）

解　説

＜税額の確定手続＞

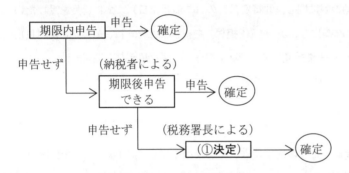

＜税額の是正手続＞

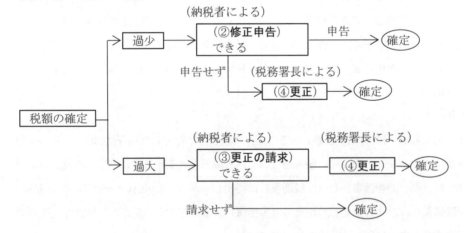

解答　問題2　国税通則法

① （　　　法定申告期限　　　）　② （　　　　　5年　　　　　）　③ （　　　更正の請求　　　）

④ （　　　過大　　　）　⑤ （　　　　　過少　　　　　）　⑥ （　理由等が生じた日　）

⑦ （　　　2月　　　）　⑧ （　事実に関する訴え　）　⑨ （　　他の者に帰属　　）

解　説

1　原則

　　納税申告書を提出した者は、次のいずれかの理由に該当する場合には、その申告書に係る（①**法定申告期限**）から（②**5年**）以内に限り、税務署長に対し、（③**更正の請求**）をすることができる。

⑴　その申告書に記載した課税標準等の計算が国税に関する法律の規定に従っていなかったこと又は計算に誤りがあったことにより、その申告に係る納付すべき税額が（④**過大**）であるとき

⑵　⑴の理由により、その申告に係る還付金の額が（⑤**過少**）であるとき、又はその記載がなかったとき

2　特則

　　納税申告書を提出した者又は決定を受けた者は、次のいずれかの理由に該当するときには、その（⑥**理由等が生じた日**）の翌日から（⑦**2月**）以内に限り、税務署長に対し、更正の請求をすることができる。

⑴　その申告等に係る課税標準等の計算の基礎となった（⑧**事実に関する訴え**）についての判決等により、その事実がその計算の基礎としたところと異なることが確定したとき

⑵　その申告等に係る課税標準等の計算にあたって、その申告等をした者に帰属するものとされていた所得等が（⑨**他の者に帰属**）するものとするその他の者に係る国税の更正又は決定があっとき

⑶　その他法定申告期限後に生じた⑴又は⑵に類するやむを得ない理由があるとき

解答　問題3　消費税法の特例

① （　　　2月以内　　　）　② （　　　更正の請求　　　）　③ （　　　　過大　　　　）

④ （　　　過少　　　）

　次のそれぞれの理由に該当する場合には、その修正申告書を提出した日等の翌日から（①2月以内）に限り、税務署長に対し、（②更正の請求）をすることができる。

⑴　課税資産の譲渡等に係る特例

　　確定申告書等に記載すべき一定の金額につき、修正申告書を提出し又は更正等を受けた者が、その修正申告書の提出等に伴い、これらに係る課税期間後の課税期間で決定を受けた課税期間に係る納付すべき税額が（③過大）又は還付金の額が（④過少）となる場合

⑵　課税貨物に係る特例

　　課税貨物に係る申告書に記載すべき一定の金額につき、修正申告書を提出し又は更正等を受けた者がその修正申告書の提出等に伴い、これらに係る課税期間で決定を受けた課税期間に係る納付すべき税額が（③過大）又は還付金の額が（④過少）となる場合

解答　問題4　更正の請求の手続

①　（　　　　更正前　　　　）　②　（　　　　更正後　　　　）　③　（　　　　請求理由　　　　）

④　（　　更正請求書　　）

　更正の請求をしようとする者は、その請求に係る（①更正前）及び（②更正後）の課税標準等又は税額等、その更正の（③請求理由）等を記載した（④更正請求書）を税務署長に提出しなければならない。

Chapter 1 消費税とは Ⅱ

問題1

① （　　　　　　　） ② （　　　　　　　　） ③ （　　　　　　　　）

④ （　　　　　　　） ⑤ （　　　　　　　　） ⑥ （　　　　　　　　）

⑦ （　　　　　　　） ⑧ （　　　　　　　　） ⑨ （　　　　　　　　）

⑩ （　　　　　　　） ⑪ （　　　　　　　　） ⑫ （　　　　　　　　）

問題2

問1

課税標準額に対する消費税額	円
控除対象仕入税額	円
差引税額	円
納付税額	円

問2

課税標準額に対する消費税額	円
控除対象仕入税額	円
差引税額	円
納付税額	円

問3

課税標準額に対する消費税額	円
控除対象仕入税額	円
差引税額	円
中間納付還付税額	円

問4

課税標準額に対する消費税額	円
控除対象仕入税額	円
控除不足還付税額	円

問題3

I 課税標準額に対する消費税額の計算

〔課税標準額〕

計　算　過　程		（単位：円）
	金 額	円

〔課税標準額に対する消費税額〕

計　算　過　程　（単位：円）	金 額	円

II 仕入れに係る消費税額の計算等

〔控除対象仕入税額〕

計　算　過　程	（単位：円）

次ページへ続く

		金額	円

Ⅲ　納付税額の計算

〔納付税額〕

計　算　過　程	（単位：円）
金額	円

Chapter 2　　課税の対象Ⅱ

問題1

〔資産の譲渡又は貸付け〕

〔役務の提供〕

問題 2

〔資産の譲渡又は貸付け〕

〔役務の提供〕

問題 3

問題 4

問題 5

問題 6

問題 7

① （　　　　　　　）　② （　　　　　　　）　③ （　　　　　　　）

④ （　　　　　　　）　⑤ （　　　　　　　）　⑥ （　　　　　　　）

⑦ （　　　　　　　）　⑧ （　　　　　　　）　⑨ （　　　　　　　）

⑩ （　　　　　　　）

問題 8

(1)	
(2)	

問題 9

問題 10

(1)	
(2)	

問題 11

(1)	
(2)	

(3)	
(4)	
(5)	
(6)	

問題 12

I　課税標準額に対する消費税額の計算

〔課税標準額〕

計　算　過　程　　　　　（単位：円）		
	金額	円

〔課税標準額に対する消費税額〕

計　算　過　程　　（単位：円）	金額	円

Ⅱ　仕入れに係る消費税額の計算等

〔控除対象仕入税額〕

計　算　過　程　　　　　　　　　　　（単位：円）		
	金額	円

Ⅲ　納付税額の計算

〔納付税額〕

計　算　過　程　　　　　　　　　　　（単位：円）		
	金額	円

Chapter 3　非課税取引Ⅱ

問題 1

問題 2

問題 3

問題 4

問題 5

問題 6

非課税売上高	（単位：円）

Ch 1
Ch 2
Ch 4
Ch 5
Ch 6
Ch 7
Ch 8
Ch 9
Ch 10
Ch 11
Ch 12
Ch 13
Ch 14
Ch 15
Ch 16

問題7

番号	(1)	(2)	(3)	(4)	(5)	(6)	(7)	(8)	(9)	(10)	(11)	(12)
解答												

問題8

① (　　　　　　　) ② (　　　　　　　) ③ (　　　　　　　)

④ (　　　　　　　) ⑤ (　　　　　　　) ⑥ (　　　　　　　)

⑦ (　　　　　　　) ⑧ (　　　　　　　) ⑨ (　　　　　　　)

⑩ (　　　　　　　) ⑪ (　　　　　　　) ⑫ (　　　　　　　)

⑬ (　　　　　　　) ⑭ (　　　　　　　) ⑮ (　　　　　　　)

問題9

① (　　　　　　　) ② (　　　　　　　) ③ (　　　　　　　)

④ (　　　　　　　) ⑤ (　　　　　　　) ⑥ (　　　　　　　)

⑦ (　　　　　　　)

問題10

I　課税標準額に対する消費税額の計算

〔課税標準額〕

計　算　過　程		（単位：円）
	金額	円

〔課税標準額に対する消費税額〕

計　算　過　程　　（単位：円）	金額	円

Ⅱ　仕入れに係る消費税額の計算等

〔課税売上割合〕

計　算　過　程　　（単位：円）

課税売上割合	円
	円

〔控除対象仕入税額〕

計　算　過　程　　（単位：円）

次ページへ続く

	金額	円

Ⅲ 納付税額の計算

〔納付税額〕

計　算　過　程		（単位：円）
	金額	円

Chapter 4　免税取引Ⅱ

問題1

問題2

輸出免税売上高	（単位：円）

Ch 1

Ch 2

Ch 3

Ch 4

Ch 5

Ch 6

Ch 7

Ch 8

Ch 9

Ch 10

Ch 11

Ch 12

Ch 13

Ch 14

Ch 15

Ch 16

問題3

① （　　　　　　　　　）　② （　　　　　　　　　）　③ （　　　　　　　　　）

④ （　　　　　　　　　）

問題4

⑴について

※　次の選択欄から正解を1つ選んで丸で囲み、その理由等を記載しなさい。
（選択欄）　　課税取引　　　　非課税取引　　　　免税取引　　　　左記以外（不課税取引）
（理由等）

⑵について

※　次の選択欄から正解を1つ選んで丸で囲み、その理由等を記載しなさい。
（選択欄）　　課税取引　　　　非課税取引　　　　免税取引　　　　左記以外（不課税取引）
（理由等）

問題5

（空欄）

問題6

7.8%課税取引	
免税取引	
非課税取引	
不課税取引	

問題7

① （　　　　　　　　） ② （　　　　　　　　） ③ （　　　　　　　　）

④ （　　　　　　　　） ⑤ （　　　　　　　　） ⑥ （　　　　　　　　）

⑦ （　　　　　　　　） ⑧ （　　　　　　　　）

問題8

問1

（空欄）

問 2

①	
②	

問 3

①	
②	
③	

Chapter 5　課税標準及び税率 II

問題 1

課税標準額	（単位：円）

問題2

課税標準額　　　　　　　　　　　　　　　　　　　　　　　（単位：円）

問題3

(1)　課税標準額　　　　　　　　　　　　　　　　　　　　（単位：円）

(2)　課税標準額に対する消費税額

問題4

(1)　課税標準額　　　　　　　　　　　　　　　　　　　　（単位：円）

問題5

(1)	課 税 売 上 げ	円
(2)	課 税 売 上 げ	円
	非課税売上げ	円
(3)	非課税売上げ	円
(4)	課 税 売 上 げ	円
	非課税売上げ	円
(5)	課 税 売 上 げ	円
(6)	課 税 売 上 げ	円
(7)	課 税 売 上 げ	円
	非課税売上げ	円
(8)	課 税 売 上 げ	円
(9)	課 税 売 上 げ	円
	非課税売上げ	円

問題6

(1) 課税標準額　　　　　　　　　　　　　　　　　　　　　　　　（単位：円）

(2) 非課税売上高

問題7

(1)　割戻し計算

┌──┐
│ (1)　課税標準額　　　　　　　　　　　　　　（単位：円） │
│   │
│   │
│ (2)　課税標準額に対する消費税額   │
│   │
│   │
└──┘

(2)　積上げ計算

┌──┐
│ (1)　課税標準額　　　　　　　　　　　　　　（単位：円） │
│   │
│   │
│ (2)　課税標準額に対する消費税額   │
│   │
次ページへ続く
└──┘

前ページより

問題8

(1)　課税標準額　　　　　　　　　　　　　　　　　　　　　　　　（単位：円）

(2)　課税標準額に対する消費税額　　　　　　　　　　　　　　　　（単位：円）

Ch 1
Ch 2
Ch 3
Ch 4
Ch 5
Ch 6
Ch 7
Ch 8
Ch 9
Ch 10
Ch 11
Ch 12
Ch 13
Ch 14
Ch 15
Ch 16

問題 9

① （　　　　　　　　）　② （　　　　　　　　　　　）　③ （　　　　　　　　　　）

④ （　　　　　　　　）　⑤ （　　　　　　　　　　　）　⑥ （　　　　　　　　　　）

⑦ （　　　　　　　　）

問題 10

① （　　　　　　　　）　② （　　　　　　　　）

問題 11

Chapter 6　納税義務者 Ⅱ

問題 1

国内取引	
輸入取引	

問題2

〔基準期間における課税売上高の計算〕 （単位：円）

問題3

	基準期間における課税売上高	納税義務の有無の判定	
〔ケース①〕	円	あ り	な し
〔ケース②〕	円	あ り	な し
〔ケース③〕	円	あ り	な し

問題4

〔基準期間における課税売上高の計算〕 （単位：円）

Ch 1
Ch 2
Ch 3
Ch 4
Ch 5
Ch 6
Ch 7
Ch 8
Ch 9
Ch 10
Ch 11
Ch 12
Ch 13
Ch 14
Ch 15
Ch 16

問題5

〔基準期間における課税売上高の計算〕　　　　　　　　　　　　　（単位：円）

問題6

〔基準期間における課税売上高の計算〕　　　　　　　　　　　　　（単位：円）

① (　　　　　　　　) ② (　　　　　　　　) ③ (　　　　　　　　)
④ (　　　　　　　　) ⑤ (　　　　　　　　) ⑥ (　　　　　　　　)
⑦ (　　　　　　　　) ⑧ (　　　　　　　　)

問題8

(1)

届　出　書　名	
効 力 発 生 時 期	

(2)

届　出　書　名	
効 力 発 生 時 期	
提　出　制　限	

Ch 1
Ch 2
Ch 3
Ch 4
Ch 5
Ch 6
Ch 7
Ch 8
Ch 9
Ch 10
Ch 11
Ch 12
Ch 13
Ch 14
Ch 15
Ch 16

問題9

〔納税義務の有無の判定〕　　　　　　　　　　　　　（単位：円）

問題 10

〔納税義務の有無の判定〕　　　　　　　　　　　　　（単位：円）

問題 11

〔納税義務の有無の判定〕 （単位：円）

問題 12

〔納税義務の有無の判定〕 （単位：円）

第 1 期（令和 6 年 2 月 1 日〜令和 6 年 3 月 31 日）　　　　　　　　　　（単位：円）

第 2 期（令和 6 年 4 月 1 日〜令和 7 年 3 月 31 日）

第 3 期（令和 7 年 4 月 1 日〜令和 8 年 3 月 31 日）　　　　　　　（単位：円）

問題 14

①	
②	

第 1 期（令和 5 年 4 月 1 日〜令和 6 年 3 月 31 日）　　　　　　　　　　（単位：円）

第 2 期（令和 6 年 4 月 1 日〜令和 7 年 3 月 31 日）

第 3 期（令和 7 年 4 月 1 日～令和 8 年 3 月 31 日）

問題 16

①	
②	

Chapter 7　仕入税額控除 II

問題 1

(1)		(2)		(3)		(4)		(5)	
(6)		(7)		(8)		(9)		(10)	
(11)		(12)		(13)		(14)		(15)	
(16)		(17)		(18)		(19)		(20)	
(21)		(22)		(23)		(24)		(25)	
(26)		(27)		(28)		(29)		(30)	

問題 2

(1)		(2)		(3)		(4)		(5)	
(6)		(7)		(8)		(9)		(10)	
(11)		(12)		(13)		(14)		(15)	
(16)		(17)		(18)		(19)		(20)	
(21)		(22)		(23)		(24)		(25)	
(26)		(27)		(28)		(29)		(30)	
(31)									

問題 3

問 1

① (　　　　　　　　　)　② (　　　　　　　　　　　)　③ (　　　　　　　　　　　)

④ (　　　　　　　　　)　⑤ (　　　　　　　　　)

問 2

(1)	
(2)	
(3)	
(4)	

問題 4

(1) 課税売上割合　　　　　　　　　　　　　　　　　　（単位：円）

(2) 控除対象仕入税額

① 標準税率適用分

イ　課税仕入れに係る消費税額

ロ課税貨物に係る消費税額

ハ　合計

② 軽減税率適用分

③ 控除対象仕入税額

問題5

(1) 課税売上割合　　　　　　　　　　　　　　　　　　　　（単位：円）

(2) 控除対象仕入税額

　① 課税仕入れに係る消費税額

　② 課税貨物に係る消費税額

　③ 控除対象仕入税額

問題6

問1

(1) 課税売上高　　　　　　　　　　　　　　　　　　　　　（単位：円）

(2) 非課税売上高

(3) 課税売上割合

問 2

(1) 課税売上高　　　　　　　　　　　　　　　　　　　　　　　　　（単位：円）

(2) 非課税売上高

(3) 課税売上割合

問 3

(1) 課税売上高　　　　　　　　　　　　　　　　　　　　　　　　　（単位：円）

(2) 非課税売上高

(3) 課税売上割合

問題7

(1) 課税売上高 （単位：円）

(2) 非課税売上高

(3) 課税売上割合

問題8

(1)		(2)		(3)		(4)		(5)	
(6)		(7)		(8)		(9)		(10)	
(11)		(12)		(13)		(14)		(15)	
(16)		(17)		(18)		(19)		(20)	
(21)		(22)		(23)		(24)			

問題9

課税資産の譲渡等にのみ要するもの 　　　　　　　　 円

その他の資産の譲渡等にのみ要するもの 　　　　　　　 円

共通して要するもの 　　　　　　　　　　　　　 円

問題 10

課税資産の譲渡等にのみ要するもの　　　　　　　　　　　円

その他の資産の譲渡等にのみ要するもの　　　　　　　　　円

共通して要するもの　　　　　　　　　　　　　　　　　　円

問題 11

(1)　課税売上割合　　　　　　　　　　　　　　　　　（単位：円）

(2)　区分経理及び税額

(3)　控除対象仕入税額

問題 12

(1) 課税売上割合 （単位：円）

(2) 区分経理及び税額

(3) 控除対象仕入税額

問題 13

Ch 1
Ch 2
Ch 3
Ch 4
Ch 5
Ch 6
Ch 7
Ch 8
Ch 9
Ch 10
Ch 11
Ch 12
Ch 13
Ch 14
Ch 15
Ch 16

問題 14

(1) 課税売上割合 　　　　　　　　　　　　　　　　　　　　（単位：円）

(2) 課税仕入れ等の税額の合計額

(3) 控除対象仕入税額

問題 15

(1) 課税売上割合 　　　　　　　　　　　　　　　　　　　　（単位：円）

(2) 課税仕入れ等の税額の合計額

(3) 控除対象仕入税額

(1) 課税売上割合　　　　　　　　　　　　　　　　　　　　　　　　（単位：円）

(2) 区分経理及び税額

　① 個別対応方式

　　イ 課税資産の譲渡等にのみ要するもの

　　ロ その他の資産の譲渡等にのみ要するもの

　　ハ 共通して要するもの

　　ニ 控除対象仕入税額

次ページへ続く

②　一括比例配分方式

　イ　課税仕入れ

　ロ　課税貨物

　ハ　控除対象仕入税額

(3)　有利判定

問題 17

I　課税標準額に対する消費税額の計算

〔課税標準額〕

計　算　過　程　　　　　　　　　　（単位：円）		
	金額	円

〔課税標準額に対する消費税額〕

計　算　過　程　　　（単位：円）	金額	円

Ⅱ　仕入れに係る消費税額の計算等

〔課税売上割合〕

計　算　過　程　　　　　　　　　　　　　（単位：円）
<table><tr><td rowspan="2">課税売上割合</td><td>　　　　　　　　　　　　　　　　円</td></tr><tr><td>　　　　　　　　　　　　　　　　円</td></tr></table>

〔控除対象仕入税額〕

計　算　過　程　　　　　　　　　　　　　（単位：円）
次ページへ続く

〔控除対象仕入税額〕（続き）

計　算　過　程	（単位：円）
金額	円

Ⅲ　差引税額の計算

〔差引税額〕

計　算　過　程　　（単位：円）	金額	円

Ⅳ　納付税額の計算

〔納付税額〕

計　　算　　過　　程　　（単位：円）	金 額	円

問題 18

(1)　課税売上割合 （単位：円）

(2)　区分経理及び税額

　①　標準税率

　　イ　個別対応方式

　　　(a)　課税資産の譲渡等にのみ要する

　　　(b)　その他の資産の譲渡等にのみ要するもの

　　　(c)　共通して要するもの

　　　(d)　控除対象仕入税額

　　ロ　一括比例配分方式

　　　(a)　課税仕入れ

　　　(b)　控除対象仕入税額

次ページへ続く

② 軽減税率

  イ 個別対応方式

    (a) 課税資産の譲渡等にのみ要するもの

    (b) 共通して要するもの

    (c) 控除対象仕入税額

  ロ 一括比例配分方式

    (a) 課税仕入れ

    (b) 控除対象仕入税額

(2) 有利判定

  ① 個別対応方式

  ② 一括比例配分方式

  ③

(1) 課税売上割合　　　　　　　　　　　　　　　　　　　　　　（単位：円）

(2) 区分経理及び税額

　① 標準税率

　　イ 個別対応方式

　　　(a) 課税資産の譲渡等にのみ要する

　　　(b) その他の資産の譲渡等にのみ要するもの

　　　(c) 共通して要するもの

　　　(d) 控除対象仕入税額

　　ロ 一括比例配分方式

　　　(a) 課税仕入れ

　　　(b) 控除対象仕入税額

　② 軽減税率

　　イ 個別対応方式

　　　(a) 課税資産の譲渡等にのみ要するもの

　　　(b) 共通して要するもの

次ページへ続く

(c)　控除対象仕入税額

　ロ　一括比例配分方式

　　(a)　課税仕入れ

　　(b)　控除対象仕入税額

⑵　有利判定

　①　個別対応方式

　②　一括比例配分方式

　③

問題 20

I　課税標準額に対する消費税額の計算

〔課税標準額〕

計　算　過　程　　　　　　　　　　（単位：円）		
	金額	円

〔課税標準額に対する消費税額〕

計　算　過　程　　（単位：円）	金額	円

Ⅱ　仕入れに係る消費税額の計算等

〔課税売上割合〕

計　算　過　程　　　　　　　　　　　　　（単位：円）

		円
課税売上割合		円

〔控除対象仕入税額〕

計　算　過　程　　　　　　　　　　　　　（単位：円）

次ページへ続く

〔控除対象仕入税額〕（続き）

計　算　過　程	（単位：円）

次ページへ続く

〔控除対象仕入税額〕（続き）

計　算　過　程		（単位：円）
	金 額	円

Ⅲ　差引税額の計算

〔差引税額〕

計　算　過　程　（単位：円）	金 額	円

Ⅳ　納付税額の計算

〔納付税額〕

計　算　過　程　（単位：円）	金 額	円

問題 21

① （　　　　　　　　　　　　　） ② （　　　　　　　　　　　　　）

③ （　　　　　　　　　　　　　） ④ （　　　　　　　　　　　　　）

⑤ （　　　　　　　　　　　　　）

(1) 課税売上割合　　　　　　　　　　　　　　　　　　　　　　（単位：円）

(2) 区分経理及び税額

　① 個別対応方式

　　イ　課税資産の譲渡等にのみ要するもの

　　ロ　その他の資産の譲渡等にのみ要するもの

　　ハ　共通して要するもの

　　　(a)　課税売上割合適用分

　　　(b)　準ずる割合適用分

　　ニ　控除対象仕入税額

　② 一括比例配分方式

　　イ　課税仕入れ

　　ロ　控除対象仕入税額

(3) 有利判定

問題 23

① （　　　　　　　　　）　② （　　　　　　　　　　）　③ （　　　　　　　　　　　）

④ （　　　　　　　　）

問題 24

問 1

① （　　　　　　　　　）　② （　　　　　　　　　　）　③ （　　　　　　　　　　　）

④ （　　　　　　　　　）　⑤ （　　　　　　　　　　）　⑥ （　　　　　　　　　　　）

問 2

①	
②	
③	
④	

問題 25

1　X社に対する金型の輸出

2　B社に対する金型の製造の発注

3　C社に対する運送料の支払い

4 　D社に対する輸出申告手数料及び運送積み込み料の支払い

Ch 1
Ch 2
Ch 3
Ch 4
Ch 5
Ch 6
Ch 7
Ch 8
Ch 9
Ch 10
Ch 11
Ch 12
Ch 13
Ch 14
Ch 15
Ch 16

Chapter 8 　売上げに係る対価の返還等Ⅱ

問題1

Ⅰ 課税標準額に対する消費税額の計算

〔課税標準額〕

計　算　過　程		（単位：円）
	金 額	円

〔課税標準額に対する消費税額〕

計　算　過　程　（単位：円）	金 額	円

Ⅱ 仕入れに係る消費税額の計算等

〔控除対象仕入税額〕

計　算　過　程　（単位：円）	金額	円

〔売上げの返還等対価に係る税額〕

計　算　過　程　（単位：円）	金額	円

〔控除税額小計〕

計　算　過　程　（単位：円）	金額	円

Ⅲ 差引税額の計算

〔差引税額〕

計　算　過　程　（単位：円）	金額	円

Ⅳ 納付税額の計算

〔納付税額〕

計　算　過　程　（単位：円）	金額	円

問題2

売上げの返還等対価に係る税額 ☐☐☐☐☐☐☐ 円

問題3

売上げの返還等対価に係る税額　　　　　　　　　　　円

問題4

Ⅰ　課税標準額に対する消費税額の計算

〔課税標準額〕

計　算　過　程		（単位：円）
	金額	円

〔課税標準額に対する消費税額〕

計　算　過　程　（単位：円）	金額	円

Ⅱ　仕入れに係る消費税額の計算等

〔課税売上割合〕

計　算　過　程	（単位：円）
	次ページへ続く

〔課税売上割合〕（続き）

計　算　過　程		（単位：円）
	課税売上割合	円
		円

〔控除対象仕入税額〕

計　算　過　程		（単位：円）
	金額	円

〔売上げの返還等対価に係る税額〕

計　算　過　程　（単位：円）	金額	円

〔控除税額小計〕

計　算　過　程　（単位：円）	金額	円

Ⅲ　差引税額の計算

〔差引税額〕

計　算　過　程　（単位：円）	金額	円

Ⅳ　納付税額の計算

〔納付税額〕

計　算　過　程　　（単位：円）	金額	円

問題5

問題6

売上げの返還等対価に係る税額　　| | 円

問題7

問1　「売上げに係る対価の返還等をした場合」の意義

Ch 1
Ch 2
Ch 3
Ch 4
Ch 5
Ch 6
Ch 7
Ch 8
Ch 9
Ch 10
Ch 11
Ch 12
Ch 13
Ch 14
Ch 15
Ch 16

問2　売上げに係る対価の返還等の金額に係る消費税額の控除の控除要件

(1)　売上げに係る対価の返還等をした場合（意義を除く。）

（2)　帳簿の保存等

①　帳簿の保存等

②　保存期間

③　記載事項等

```
```

Chapter 9　貸倒れに係る消費税額の控除等Ⅱ

問題1

貸倒れに係る消費税額 ☐ 円

(1) [　　　　　　] 円

(2) [　　　　　　] 円

(3) [　　　　　　] 円

(4) [　　　　　　] 円

(5) [　　　　　　] 円

(6) [　　　　　　] 円

問題3

(1) 貸倒れの意義

(2) 貸倒れに係る消費税額の控除の適用要件

(3) 貸倒れに係る消費税額の控除の規定が適用される一定の事実

①	
②	
③	

④	

問題4

問題5

問題6

控除過大調整税額 [　　　　　　　　] 円

Ch 1
Ch 2
Ch 3
Ch 4
Ch 5
Ch 6
Ch 7
Ch 8
Ch 9
Ch 10
Ch 11
Ch 12
Ch 13
Ch 14
Ch 15
Ch 16

問題7

控除過大調整税額 [　　　　　　　　　] 円

問題8

I　課税標準額に対する消費税額の計算

〔課税標準額〕

計　算　過　程　　　　　　　　　　（単位：円）		
	金額	円

〔課税標準額に対する消費税額〕

計　算　過　程　　（単位：円）	金額	円

〔控除過大調整税額〕

計　算　過　程　　（単位：円）	金額	円

II　仕入れに係る消費税額の計算等

〔控除対象仕入税額〕

計　算　過　程　　（単位：円）	金額	円

〔売上げの返還等対価に係る税額〕

計　算　過　程　　（単位：円）	金額	円

〔貸倒れに係る税額〕

計　算　過　程　　（単位：円）	金額	円

〔控除税額小計〕

計　算　過　程　　（単位：円）	金額	円

Ⅲ　差引税額の計算

〔差引税額〕

計　算　過　程　　（単位：円）	金額	円

Ⅳ　納付税額の計算

〔納付税額〕

計　算　過　程　　（単位：円）	金額	円

問題9

Ⅰ　課税標準額に対する消費税額の計算

〔課税標準額〕

計　算　過　程　　　　　　　　　（単位：円）	
金額	円

〔課税標準額に対する消費税額〕

計　算　過　程　（単位：円）	金額	円

〔控除過大調整税額〕

計　算　過　程　（単位：円）	金額	円

Ⅱ　仕入れに係る消費税額の計算等

〔控除対象仕入税額〕

計　算　過　程　（単位：円）	金額	円

〔売上げの返還等対価に係る税額〕

計　算　過　程　（単位：円）	金額	円

〔貸倒れに係る税額〕

計　算　過　程　（単位：円）	金額	円

〔控除税額小計〕

計　算　過　程　（単位：円）	金額	円

Ⅲ　差引税額の計算

〔差引税額〕

計　算　過　程　（単位：円）	金額	円

Ⅳ　納付税額の計算

〔納付税額〕

計　算　過　程　　（単位：円）	金額	円

問題 10

Ⅰ　課税標準額に対する消費税額の計算

〔課税標準額〕

計　算　過　程　　　　　　　　　（単位：円）		
	金額	円

〔課税標準額に対する消費税額〕

計　算　過　程　　（単位：円）	金額	円

〔控除過大調整税額〕

計　算　過　程　　（単位：円）	金額	円

Ⅱ　仕入れに係る消費税額の計算等

〔控除対象仕入税額〕

計　算　過　程　　（単位：円）	金額	円

〔貸倒れに係る税額〕

計　算　過　程　　（単位：円）	金額	円

〔控除税額小計〕

計　算　過　程　　（単位：円）	金額	円

Ⅲ　差引税額の計算

〔差引税額〕

計　算　過　程　　（単位：円）	金額	円

Ⅳ　納付税額の計算

〔納付税額〕

計　算　過　程　　（単位：円）	金額	円

Chapter10　仕入れに係る対価の返還等Ⅱ

問題1

（単位：円）

Ch 1
Ch 2
Ch 3
Ch 4
Ch 5
Ch 6
Ch 7
Ch 8
Ch 9
Ch 10
Ch 11
Ch 12
Ch 13
Ch 14
Ch 15
Ch 16

問1

（単位：円）

問2

（単位：円）

次ページへ続く

問題 3

問題4

仕入れに係る対価の返還等 [＿＿＿＿＿＿＿＿] 円

問題5

問題6

問1

（単位：円）

次ページへ続く

問 2

（単位：円）

次ページへ続く

問題7

I 課税標準額に対する消費税額の計算

〔課税標準額〕

計　算　過　程		（単位：円）
	金額	円

〔課税標準額に対する消費税額〕

計　算　過　程　　（単位：円）	金額	円

Ⅱ　仕入れに係る消費税額の計算等

〔課税売上割合〕

計　算　過　程　　　　　　　　　（単位：円）

課税売上割合

―――――――――― 円
円

〔控除対象仕入税額〕

計　算　過　程	（単位：円）

次ページへ続く

〔控除対象仕入税額〕（続き）

計　算　過　程	（単位：円）		
		金額	円

〔売上げの返還等対価に係る税額〕

計　算　過　程　（単位：円）	金額	円

〔控除税額小計〕

計　算　過　程　（単位：円）	金額	円

Ⅲ　差引税額の計算

〔差引税額〕

計　算　過　程　（単位：円）	金額	円

Ⅳ　納付税額の計算

〔納付税額〕

計　算　過　程　（単位：円）	金額	円

Chapter11　資産の譲渡等の時期

問題1

	売上げに計上すべき日	売上げ計上金額
(1)	令和　　年　　月　　日	円
(2)	令和　　年　　月　　日	円
(3)	令和　　年　　月　　日	円
(4)	令和　　年　　月　　日	円
(5)	令和　　年　　月　　日	円

問題2

課税売上げの金額　　　　　　　　　　　円

問題3

課税売上げの金額　　　　　　　　　　　円

Chapter12　確定申告Ⅱ

問題1

①　（　　　　　　　　　　　　　　　）　②　（　　　　　　　　　　　　　　　　　）

③　（　　　　　　　　　　　　　　　）　④　（　　　　　　　　　　　　　　　　　）

⑤　（　　　　　　　　　　　　　　　）　⑥　（　　　　　　　　　　　　　　　　　）

⑦　（　　　　　　　　　　　　　　　）　⑧　（　　　　　　　　　　　　　　　　　）

⑨　（　　　　　　　　　　　　　　　）

問題2

①　（　　　　　　　　）　②　（　　　　　　　　　　　）　③　（　　　　　　　　　　）　.

④　（　　　　　　　　）

問題3

①　（　　　　　　　　）　②　（　　　　　　　　　　　）　③　（　　　　　　　　　　）

問題4

①　（　　　　　　　　　）　②　（　　　　　　　　　　）

問題5

問 1

問 2

Chapter13 還付を受けるための申告

問題1

① （　　　　　　　　　　　　　　）　② （　　　　　　　　　　　　　　）

③ （　　　　　　　　　　　　　　）　④ （　　　　　　　　　　　　　　）

⑤ （　　　　　　　　　　　　　　）　⑥ （　　　　　　　　　　　　　　）

⑦ （　　　　　　　　　　　　　　）

問題2

(1)	
(2)	

問題3

(1)

(2)

(3)

(4)

Chapter14　中間申告Ⅱ

問題1

(A)　50,000,000 円の場合	（単位：円）

(B)　4,600,000 円の場合	（単位：円）

(C)　620,000 円の場合　　　　　　　　　　　　　　　　　（単位：円）

問題２

（単位：円）

次ページへ続く

前ページより

問題3

（単位：円）

問題4

（単位：円）

問題5

（単位：円）

問題6

① （　　　　　　　　　　　　　） ② （　　　　　　　　　　　　　）

③ （　　　　　　　　　　　　　） ④ （　　　　　　　　　　　　　）

⑤ （　　　　　　　　　　　　　） ⑥ （　　　　　　　　　　　　　）

⑦ （　　　　　　　　　　　　　） ⑧ （　　　　　　　　　　　　　）

問題7

① (　　　　　　　　　　　　　　　　　　)　② (　　　　　　　　　　　　　　　　　　　　)

③ (　　　　　　　　　　　　　　　　　　)　④ (　　　　　　　　　　　　　　　　　　　　)

⑤ (　　　　　　　　　　　　　　　　　　)　⑥ (　　　　　　　　　　　　　　　　　　　　)

⑦ (　　　　　　　　　　　　　　　　　　)

問題8

問題9

Ch 1
Ch 2
Ch 3
Ch 4
Ch 5
Ch 6
Ch 7
Ch 8
Ch 9
Ch 10
Ch 11
Ch 12
Ch 13
Ch 14
Ch 15
Ch 16

Chapter15　引取りに係る申告

問題1

①　(　　　　　　　　　　　)　②　(　　　　　　　　　　　　　　　)

③　(　　　　　　　　　　　)　④　(　　　　　　　　　　　　　　　)

⑤　(　　　　　　　　　　　)　⑥　(　　　　　　　　　　　　　　　)

⑦　(　　　　　　　　　　　)　⑧　(　　　　　　　　　　　　　　　)

⑨　(　　　　　　　　　　　)

問題2

①　(　　　　　　　　　　　)　②　(　　　　　　　　　　　　　　　)

③　(　　　　　　　　　　　)　④　(　　　　　　　　　　　　　　　)

問題3

問題4

課税貨物に係る消費税額 ｜　　　　　　　　｜ 円

問題5

課税貨物に係る消費税額 □□□□□□ 円

問題6

① （　　　　　　　）　② （　　　　　　　）　③ （　　　　　　　）

④ （　　　　　　　）　⑤ （　　　　　　　）　⑥ （　　　　　　　）

⑦ （　　　　　　　）　⑧ （　　　　　　　）　⑨ （　　　　　　　）

⑩ （　　　　　　　）　⑪ （　　　　　　　）　⑫ （　　　　　　　）

Chapter16　更正の請求

問題1

① （　　　　　　　）　② （　　　　　　　）　③ （　　　　　　　）

④ （　　　　　　　）

問題2

① （　　　　　　　）　② （　　　　　　　）　③ （　　　　　　　）

④ （　　　　　　　）　⑤ （　　　　　　　）　⑥ （　　　　　　　）

⑦ （　　　　　　　）　⑧ （　　　　　　　）　⑨ （　　　　　　　）

問題3

① (　　　　　　　　　)　② (　　　　　　　　　　　)　③ (　　　　　　　　　　　　　)

④ (　　　　　　　　)

問題4

① (　　　　　　　　　)　② (　　　　　　　　　　　)　③ (　　　　　　　　　　　　　)

④ (　　　　　　　　)

········ *Memorandum Sheet* ·······

········ *Memorandum Sheet* ········

本書の発行後に公表された法令等及び試験制度の改正情報、並びに判明した誤りに関する訂正情報については、弊社WEBサイト内の『読者の方へ』にてご案内しておりますので、ご確認下さい。

https://www.net-school.co.jp/

なお、万が一、誤りではないかと思われる箇所のうち、弊社WEBサイトにて掲載がないものにつきましては、**書名（ＩＳＢＮコード）と誤りと思われる内容**のほか、お客様の**お名前**及び**郵送の場合はご返送先の郵便番号とご住所**を明記の上、弊社まで**郵送またはe‐mail**にてお問い合わせ下さい。

＜郵送先＞　〒101－0054
東京都千代田区神田錦町3－23メットライフ神田錦町ビル３階
ネットスクール株式会社　正誤問い合わせ係

＜e‐mail＞　seisaku@net-school.co.jp

※正誤に関するもの以外のご質問、本書に関係のないご質問にはお答えできません。
※<u>お電話によるお問い合わせはお受けできません。</u>ご了承下さい。

税理士試験　問題集

消費税法Ⅱ　基礎完成編　【2025年度版】

2024年９月６日　初版　第１刷

著　　　　　者	ネットスクール株式会社	
発　行　者	桑原知之	
発　行　所	ネットスクール株式会社　出版本部	
	〒101－0054　東京都千代田区神田錦町3－23	
	電　話　03（6823）6458（営業）	
	ＦＡＸ　03（3294）9595	
	https://www.net-school.co.jp	
執筆総指揮	山本和史	
表紙デザイン	株式会社オセロ	
編　　　　　集	吉川史織　加藤由季	
ＤＴＰ制作	中嶋典子　石川祐子　吉永絢子	
	有限会社ドアーズ本舎　長谷川正晴	
印刷・製本	日経印刷株式会社	

ⒸNet-School　2024　　Printed in Japan　　ISBN　978-4-7810-3843-8

● 税理士試験の学習を本格的に始める前に…

知識ゼロでも大丈夫！ 税理士試験のための簿記入門
税理士試験向けの独自の内容で簿記の基本が学習できる1冊です。
本書を読むことで、税理士試験の簿記論に直結した基礎学習が可能なので、簿記の学習経験が無い方や基礎が不安な方にオススメです。
2,640円（税込）好評発売中！

法人税法の教材

税理士試験教科書・問題集　法人税法I　基礎導入編【2025年度版】	3,300円（税込）	好評発売中
税理士試験教科書　法人税法II　基礎完成編【2025年度版】	3,630円（税込）	好評発売中
税理士試験問題集　法人税法II　基礎完成編【2025年度版】	3,300円（税込）	好評発売中
税理士試験教科書　法人税法III　応用編【2025年度版】	2024年12月発売	
税理士試験問題集　法人税法III　応用編【2025年度版】	2024年12月発売	
税理士試験理論集　法人税法【2025年度版】	2,420円（税込）	2024年9月発売

相続税法の教材

税理士試験教科書・問題集　相続税法I　基礎導入編【2025年度版】	3,300円（税込）	好評発売中
税理士試験教科書　相続税法II　基礎完成編【2025年度版】	3,630円（税込）	好評発売中
税理士試験問題集　相続税法II　基礎完成編【2025年度版】	3,300円（税込）	好評発売中
税理士試験教科書　相続税法III　応用編【2025年度版】	2024年12月発売	
税理士試験問題集　相続税法III　応用編【2025年度版】	2024年12月発売	
税理士試験理論集　相続税法【2025年度版】	2,420円（税込）	2024年9月発売

消費税法の教材

税理士試験教科書・問題集　消費税法I　基礎導入編【2025年度版】	3,300円（税込）	好評発売中
税理士試験教科書　消費税法II　基礎完成編【2025年度版】	3,630円（税込）	好評発売中
税理士試験問題集　消費税法II　基礎完成編【2025年度版】	3,300円（税込）	好評発売中
税理士試験教科書　消費税法III　応用編【2025年度版】	2024年12月発売	
税理士試験問題集　消費税法III　応用編【2025年度版】	2024年12月発売	
税理士試験理論集　消費税法【2025年度版】	2,420円（税込）	2024年9月発売

国税徴収法の教材

税理士試験教科書　国税徴収法【2025年度版】	4,620円（税込）	好評発売中
税理士試験理論集　国税徴収法【2025年度版】	2,420円（税込）	2024年9月発売

書籍のお求めは全国の書店・インターネット書店、またはネットスクールWEB-SHOPをご利用ください。

ネットスクール WEB-SHOP

https://www.net-school.jp/

 ネットスクール WEB-SHOP ｜ 検索

※ 書名・価格・発行年月は変更する場合もございますので、予めご了承ください。(2024年9月現在)

2025年度版　ネットスクール出版

税理士試験教材のラインナップ

● 税理士試験に合格するためのメイン教材

税理士試験教科書・問題集・理論集

ネットスクール税理士 WEB 講座の講師陣が自ら「確実に合格できる教材づくり」をコンセプトに執筆・監修した教材です。

税理士試験の合格に必要な内容を効率よく、かつ、挫折しないように工夫した『教科書』、計算力を身に付ける『問題集』、理論問題対策の『理論集』から構成されており、どの科目の教材も、豊富な図解と受験生がつまずきやすいポイントを押さえた、ネットスクール税理士 WEB 講座でも使用している教材です。

簿記論・財務諸表論の教材

税理士試験教科書　簿記論・財務諸表論I　基礎導入編【2025年度版】	3,630円（税込）	好評発売中
税理士試験問題集　簿記論・財務諸表論I　基礎導入編【2025年度版】	3,300円（税込）	好評発売中
税理士試験教科書　簿記論・財務諸表論II　基礎完成編【2025年度版】	3,630円（税込）	好評発売中
税理士試験問題集　簿記論・財務諸表論II　基礎完成編【2025年度版】	3,300円（税込）	好評発売中
税理士試験教科書　簿記論・財務諸表論III　応用編【2025年度版】	2024 年11月発売
税理士試験問題集　簿記論・財務諸表論III　応用編【2025年度版】	2024 年11月発売
税理士試験教科書　財務諸表論　理論編【2025年度版】	2024 年12月発売

☆簿記論・財務諸表論の方はこちらもオススメ！☆

穂坂式 つながる会計理論

税理士 財務諸表論 穂坂式 つながる会計理論【第2版】	2,640円（税込）	好評発売中

過去問ヨコ解き問題集

税理士試験過去問ヨコ解き問題集 簿記論【第3版】	3,740 円（税込）	好評発売中
税理士試験過去問ヨコ解き問題集 財務諸表論【第 5 版】	3,740 円（税込）	好評発売中

● 試験前の総仕上げには必須のアイテム！

ラストスパート模試　毎年5〜6月ごろ発売予定

試験直前期は、出題予想に基づいた『ラストスパート模試』で総仕上げ！
全3回分の本試験さながらの模擬試験を収載。
分かりやすい解説とともに直前期の得点力 UP をサポートします。
※ 画像や内容は 2024 年度版をベースにしたものです。変更となる場合もございます。

········ *Memorandum Sheet* ········